ChatGPTの次に来る
自律型AI革命

その仕事、AIエージェントがやっておきました。

西見公宏

技術評論社

はじめに

ChatGPTの衝撃

２０２２年11月にChatGPTが登場してから、早くも一年が経とうとしています。今となっては毎日当たり前のように利用しているChatGPTですが、筆者が初めてChatGPTを触ったときの驚きや感動は今でも忘れられません。本書を手に取った読者のみなさまも、きっとそのような感動を味わったことと想像します。

まるで中に人間がいるかのように、どんな質問でも自然に応答してくれるという衝撃。**ビジネスメールや企画書だけでなく、簡単なプログラムコードの作成まで粛々とこなしてしまう姿を目の当たりにし、いよいよＡＩが人間に成り代わる時代が来るかもしれないと思ったほどでした。**

同様のインパクトを世界中の人が感じたのかはわかりませんが、ChatGPTは登場からわずか二ヶ月で月間一億人以上ものユーザーが利用するサービスになりました。現在も積極的な機能アップデートが続いており、ユーザー数も拡大を続けています。

特に、ChatGPTにおける現在の最新モデルであるGPT-4が２０２３年3月に登場してからは、より複雑なタスクをChatGPTがこなすことができるようになり、活用の幅が一気に拡がりました。

プロンプトとプログラミング言語

その流れを受けてビジネスパーソン向けの情報サイトでは、「プロンプト」と呼ばれるChatGPTへの指示方法を扱った特集記事に強い注目が集まっています。指示の仕方を工夫すればするほど、私たちの求めるクオリティで成果物を生成してくれる可能性が高まるからです。ビジネスパーソンにとっては、プロンプトを使いこなすことで作業生産性を何倍にも高められる可能性があります。

この状況はソフトウェア開発の専門家である筆者にとって、とても興味深い光景に見えています。

私たちが日常的に利用しているコンピューターに要望を伝えるためには、「プログラミング言語」という特別にデザインされた言語体系で、「ソースコード」と呼ばれる文章を書くことによって伝えます。「ソースコード」をインプットとしてコンピューターが理解できるデータ形式に変換することで、コンピューターは人間の命令を認識し、その通りに実行することができるのです。

しかしプログラミング言語を介したコンピューターとのコミュニケーションは非常に複雑で、多くの専門的な知識を必要とします。コンピューターは、言ったことを言った通りにしか実行してくれず、言ったことに何らかの問題があったとしても、空気を読まずお構いなしにそのまま実行するからです。

そのため、ソフトウェア開発者は実行したプログラムが問題を起こさないよう、専門的な知識を活用して慎重にソフトウェアを設計する必要があります。

一方で俯瞰して見てみると、ソフトウェア開発者がプログラミング言語を活用してソースコードによってコンピューターに要望を伝えている姿と、ビジネスパーソンが日本語や英語といった日常的に利用する言語を活用してプロンプトによってＡＩに要望を伝えている姿は、どこか構造が似ているようにも思えます。ソフトウェア開発者はより表現力の高いソースコードを書くことで、複雑な要望をコンピューターに伝えることができますし、ビジネスパーソンはよりChatGPTにとって理解されやすいプロンプトを書くことで、私たちの求めるクオリティでChatGPTが生成結果を返してくるようにできるからです。

ある意味で、プロンプトは人間がコンピューターに要望を伝えるための新しいプログラミング言語であるともいえるのではないでしょうか。

指示待ちＡＩと自律型ＡＩ

このように考えると、プロンプトに対するリテラシーをより高めることで、私たちがChatGPTのような高度なＡＩをより効果的に活用できる未来が想像できます。

一方で、そのように思考する枠組みを洞察すると、コンピュータに対する私たちのスタンスには根本的な変化がないことも同時にわかります。

それは、人間が事細かに指示を出さないとコンピューターが動いてくれないのには変わりがないからです。ソースコードがプロンプトに変化することで、ソースコードよりは少ない文字数で多くのことをコンピューターに伝えられるようにはなりましたが、上手く伝えなければ上手く動いてくれないという構造自体はそもそも変わっていないのです。

それでは、この構造を変化させるような、細かく指示を出さなくとも複雑な仕事をやり遂げてくれるような仕組みはないのでしょうか？

それが本書で扱う「AIエージェント」と呼ばれる仕組みです。

人間が何らかのゴールをAIエージェントに与えると、AIエージェントは自身でそのゴールを達成するためには何が必要なのかを考え、自身で一つひとつのタスクに分解し、利用可能なツールを駆使しながらゴールを達成しようと自律的に行動します。

一例として、あるビジネスについての市場調査をAIエージェントに頼むとしましょう。すると、AIエージェントは市場調査を完遂させるために必要なタスクを考えます。例えば、いくつかのキーワードで検索し、多面的に情報を収集する必要があるでしょう。収集した情報に矛盾点がないか、セルフチェックすることも必要です。さらに、調査結果をわかりやすく依頼者にレポートすることも必要なので、レポートの章立てや内容を考えることもAIの仕事です。

細かな指示を期待するのではなく、このように自身で何をするべきかを考えて行動するのがAIエージェントの大きな特徴です。ChatGPTがあくまで指示待ちだとするならば、AIエージェントは自律型だといえるのではないでしょうか。

昨今の研究では、AIエージェント同士をコラボレーションさせることで、ソフトウェア開発すらも完遂させることができるという研究結果も発表されています。MarketsandMarketsによる世界の

ＡＩエージェント市場規模のリサーチでは、２０２３年の48億ドルから、２０２８年には２８５億ドルにも市場規模が成長するとの予測も出されています。

本書の目的と構成

このように非常にパワフルで大きな可能性を秘めたＡＩエージェントですが、ＡＩエージェントという言葉や概念自体は未だ世の中に広く知られているものではありません。

筆者はこれまで、大企業の業務基幹システムの開発からスタートアップの新規ビジネスモデル構築に必要なソフトウェア開発まで、多岐にわたるプロジェクトに関わってきました。特に近年は、ChatGPTを中心とした大規模言語モデルをビジネスに応用するプロジェクトにもアドバイザリーとして参加しており、一般のビジネスパーソン向けにChatGPTを活用するための講座も提供しています。その中で感じることは、よりＡＩを私たちの業務や生活に応用していくためには、チャット型ではなく自律型、つまりＡＩエージェントの活用が不可欠になっていくであろうということです。私たちが業務や生活で求めているＡＩの役割は、私たちを取り巻く環境に点在する情報を自律的に活用しながら、私たちの知的活動をサポートしてくれることにあるからです。

そこで本書では、これから市場に大きな影響を与える可能性のあるＡＩエージェントについて、その仕組みや具体的な活用例を、ビジネスパーソンの方がわかりやすいように紹介していきます。

第1章ではＡＩエージェントの詳細についての解説に入る前に、生成ＡＩによって変化するビジネスモデルを交えながら、「ＡＩエージェントによって私たちの仕事にどのような変化が訪れるのか」を示します。続いて第2章では、ChatGPTに代表される「チャット型ＡＩ」との違いに着目しながら、「ＡＩエージェントとは何なのか」を明らかにしていきます。そして第3章では、一歩踏み込んだ内容として、「ＡＩエージェントはどのような仕組みで動くのか」を深掘りします。最後に第4章では、具体的なプロダクトを使用している様子を紹介することで、ＡＩエージェントへの解像度を高めていただく構成になっています。ＡＩエージェントが私たちの仕事をどのように変化させるかに興味のあるビジネスパーソンの方は第1章から、むしろＡＩエージェントの仕組みそのものに関心があるエンジニアの方は第2章から読み進めていただくと読みやすいかと思われます。

本書を手に取った方がＡＩエージェントについて強い関心を抱いてくれたとしたならば、筆者にとってこれ以上に勝る喜びはありません。

目次

第2章 AIエージェントとは何か 35

第3章 AIエージェントの仕組み 71

第4章 AIエージェントを体験する 137

免責

【記載内容について】

本書に記載された内容は、情報の提供のみを目的としています。したがって、本書を用いた運用は、必ずお客様自身の責任と判断によって行ってください。これらの情報の運用の結果について、技術評論社および著者はいかなる責任も負いません。

特に断りのない限り、本書には2023年11月現在の情報を掲載しています。ご利用時には変更されている場合もありますので、ご注意ください。

以上の注意事項をご承諾いただいた上で、本書をご利用願います。これらの注意事項をお読みいただかずに、お問い合わせいただいても、技術評論社および著者は対処しかねます。あらかじめ、ご承知おきください。

【商標、登録商標について】

本文中に記載されている製品名、会社名は、すべて関係各社の商標または登録商標です。なお、本文中に™マーク、®マークは明記しておりません。

第 1 章

あなたの仕事がAIエージェントで変わる

本章ではAIエージェントについて理解していく前に、AIエージェントによって私たちの仕事にどのような変化が訪れるのか、どれだけ便利になるのかの未来予想図を見ていきます。AIエージェントはこれからビジネスの現場に登場していくであろう新しい仕組みですが、少しずつ実用化への道が開かれてきています。AIエージェントの本質を表現するキーワードとともに、ビジネスにどんなインパクトを引き起こす可能性があるのかを見ていきましょう。

新人不要、AIエージェントが研修なしで即戦力になる

「AIが私たち人間の仕事を奪う」というテーマは、頻繁に話題になります。実際に、2023年8月3日に日本経済新聞が報じた「生成AIで企業の7割時短　NECやAGC、人手不足で浸透」という記事でも、主要企業の7割が生成AI（人工知能）を使って労働時間の削減を計画していることが伝えられています。このような動向を受け、もしAIが本格的に人間の仕事を奪っていくのだとすれば、それはAIエージェントの仕組みによって加速度的に進行するのではないかと筆者は考えています。

AIエージェントとは何かをざっくりと説明とすると、**人がいちいち指示をしなくとも、自分でやることを考えて、様々なツールを活用して目標に向かってタスクをこなしていくAIの仕組み**のことです。大規模言語モデルをベースとしたAIエージェントでは、大規模言語モデルがすでに学習している膨大な知識を活用することで、自ら考えて判断し目標達成へと向かう知性を獲得しています。

あたかも自分自身に知性があるかのように振る舞うこのAIの姿は、むしろ一般の人々が思い描くAI像に近いかも知れません。このようなAI像は様々なSF作品に現れており、古くは映画『2001年宇宙の旅』に登場する宇宙船制御AIのHAL9000をはじめとして、映画『アイアンマン』に登場するAIアシスタントのJ.A.R.V.I.S.（ジャービス）、映画『Her』に登場するOSとして

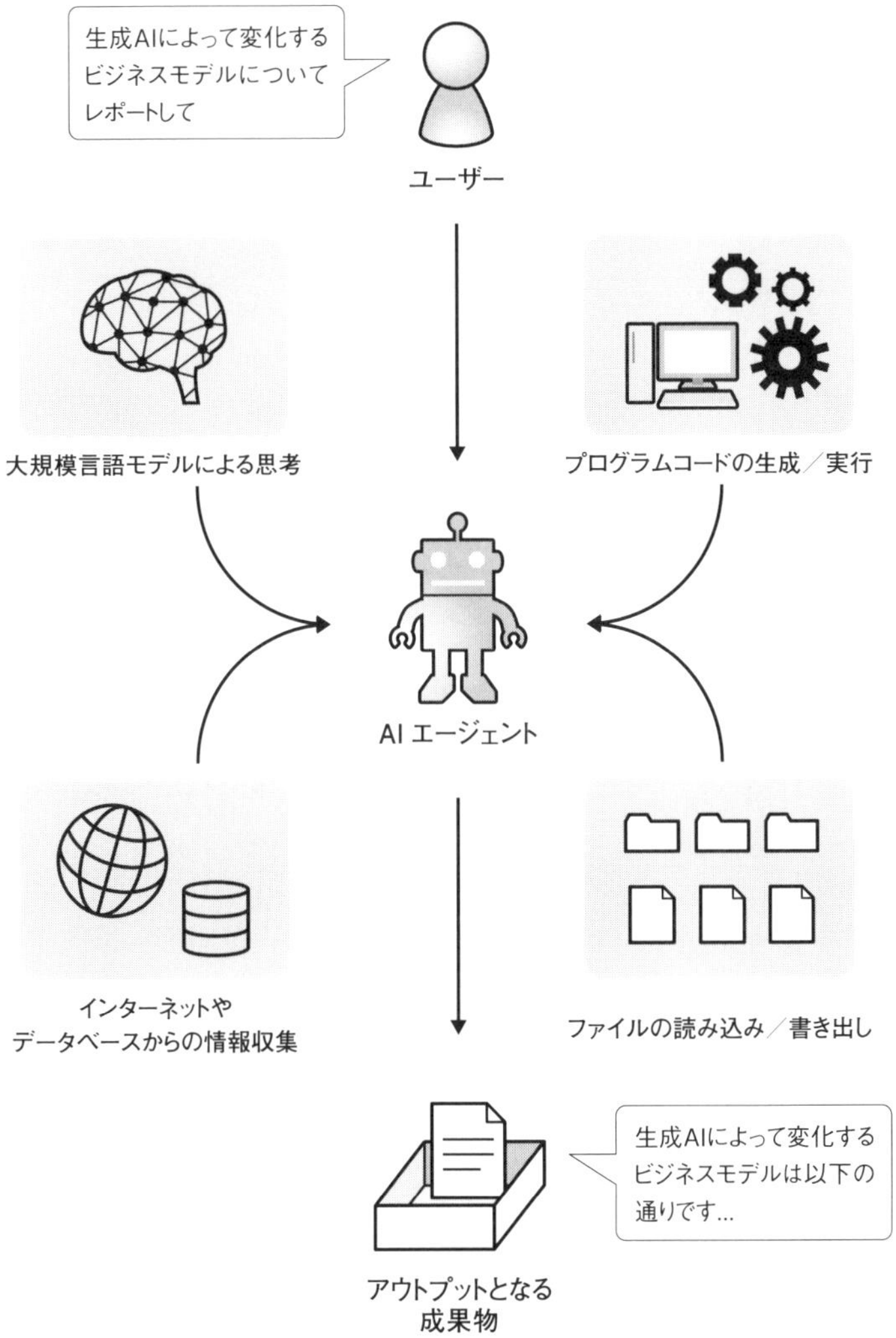

▲ AIエージェントの動作イメージ

提供されるＡＩアシスタントのサマンサといった形で描かれてきています。

この中でも特に有名なのは、映画『アイアンマン』に登場するＡＩアシスタントのJ.A.R.V.I.S.でしょう。映画『アイアンマン』は、主人公トニー・スタークが自身で開発したアイアンマンスーツを駆使して、アイアンマンとしてテロ組織との戦いに挑む映画です。J.A.R.V.I.S.はこのアイアンマンスーツに搭載されたＡＩアシスタントで、例えばトニーがアイアンマンスーツを着用して飛行テストを行うシーンでは、飛行条件やスーツの状態について詳しく説明し、トニーが安全にスーツを操作するためのサポートの役割を果たしてくれます。戦闘時には状況に応じて即座に戦術分析を行い、トニーに攻撃オプションを提示します。日常のシーンでは、トニーが何かを忘れていそうなときには適切なアドバイスをしてくれたり、スケジュール管理面でのサポートも行ってくれたりします。私たちが思い描くＡＩ像は、このようなＳＦ作品の設定に強く影響を受けています。

ここまで高度なサポートをこなしてくれるとは言わなくとも、私たちの生活にはすでにＡＩアシスタントが溶け込んでいます。２０２２年11月に登場したChatGPTが、現在で最も高度なその事例だと考えられます。

ChatGPTが学習しているデータ量は非公開ですが、その内部で使用されている大規模言語モデルの前身バージョンであるGPT-3が学習しているデータ量は45テラバイト（約15億曲分の音楽データ、もしくは約９０００本分の高画質音楽データ量に相当。実際には45テラバイトのデータを前処理した５７０ギガバイトのデータを学習）と言われており、ChatGPTで使用されているGPT-3.5ではその数倍のデータを学習しているのではないかと予測されています。２０２２年１月まで（２０２３年11月現在）に存在した膨大なデータをバックグラウンドに、日本語、英語、スペイン語といった様々な言語を通し、あたかも中に人間がいるかのような自然な対話を通じて私たちの質問に答えてくれます。

ChatGPTの活用範囲については、現在も様々な応用が広く試され続けています。例えばビジネスで言えば、次のように枚挙に暇がありません。

ChatGPTの応用例

- 新規事業検討時の「壁打ち役」としての活用
- 顧客ヒアリングの書き起こしからの要望分析
- 自社の強みと顧客課題をインプットにした提案書の作成
- ユーザーアンケート作成の自動化
- 冠婚葬祭イベントにおける挨拶の執筆代行
- 顧客への営業メールの自動作成
- 製品のプロモーション施策の検討
- 製品内容からQ&Aの自動作成
- 福利厚生プログラムの提案や作成
- セミナー内容の検討と企画案作成

一般の方に向けたChatGPT活用セミナーは連日開催されており、関連書籍も多数出版され続けています。ビジネス情報サイトや雑誌においても大人気コンテンツとなっています。このような一般への急速な広まりを受け、政府においてもＡＩ活用におけるルール作りのための法整備が急ピッチで進められており、世の中はまさに新しいＡＩ活用の時代を迎えようとしています。

しかしこのような事例をもってしても、ＡＩが私たちの仕事を完全に代行してくれるというイメージはつきにくいのではないでしょうか。先ほどのChatGPTの活用例にしても、確かにサポート役にはなるものの、ChatGPTへのインプットとなる様々な情報は、人間が集めてくる必要があります。２０２３年11月現在では、ChatGPTからのインターネット検索が可能となっていたり、ChatGPTプラグインというβバージョンの機能を利用することで様々な外部サービスとChatGPTを接続することが可能となっていますが、完全に仕事を代行するものではありません。

そこで有力視されている次のパラダイムが、**私たちが依頼する仕事に対し自分自身でやることを考え、様々なツールを駆使して依頼をこなしてくれる、ＡＩエージェントという仕組み**です。大規模言語モデルという知性を背景に自律的に仕事をこなす姿は、まさに研修なしで即戦力として働いてくれる存在のように見えるのではないでしょうか。

ここではあえて「仕組み」と表現していますが、ＡＩエージェントは単体のＡＩではなく、内部は複数のモジュールによって構成されています。詳しい解説は後の章（»72ページ参照）に譲りますが、この設計の工夫によってバリエーション豊かなＡＩエージェントを構成することができるのだとご理解ください。

人間と同じ仕事の進め方をするAIエージェント

AIエージェントの振る舞いは、まさに人間が仕事を進めて行くときの所作そのものです。

読者のみなさまは「タスクばらし」という言葉をご存知でしょうか。筆者の個人的な体験として、仕事を進めていくために一番大切なことは「タスクばらし」であると教わりました。**「タスクばらし」とは、仕事に取り掛かる前にその仕事の要素を分解し、どのように進めるか道筋を立てること**を指します。この仕事の要素を「タスク」と呼んでいます。現場によっては「タスク分解」や「タスクブレイクダウン」とも呼ばれているようです。「タスクばらし」を行うことで、その仕事を終わらせるために必要なリソースや、発生しうるリスクについてあらかじめ検討することが可能になります。

「タスクばらし」のできない仕事は、そもそも終わる目処がつきません。どこまで進んでいるかの報告もできません。あらかじめ想定しうるリスクに備えて、誰かに相談をすることもできません。

また、「タスクばらし」にはその人が仕事を進める上で大切にしているものや、価値観も表現されます。例えば、チームに新しいメンバーが入ってきた場合、そのメンバーは私たちとは異なる価値観を形成しているため、価値観のすりあわせが必要です。価値観が異なる者同士では、仕事の進め方でたびたび対立することになってしまい、チームとして仕事を進めていく上での生産性が損なわれてしまいます。

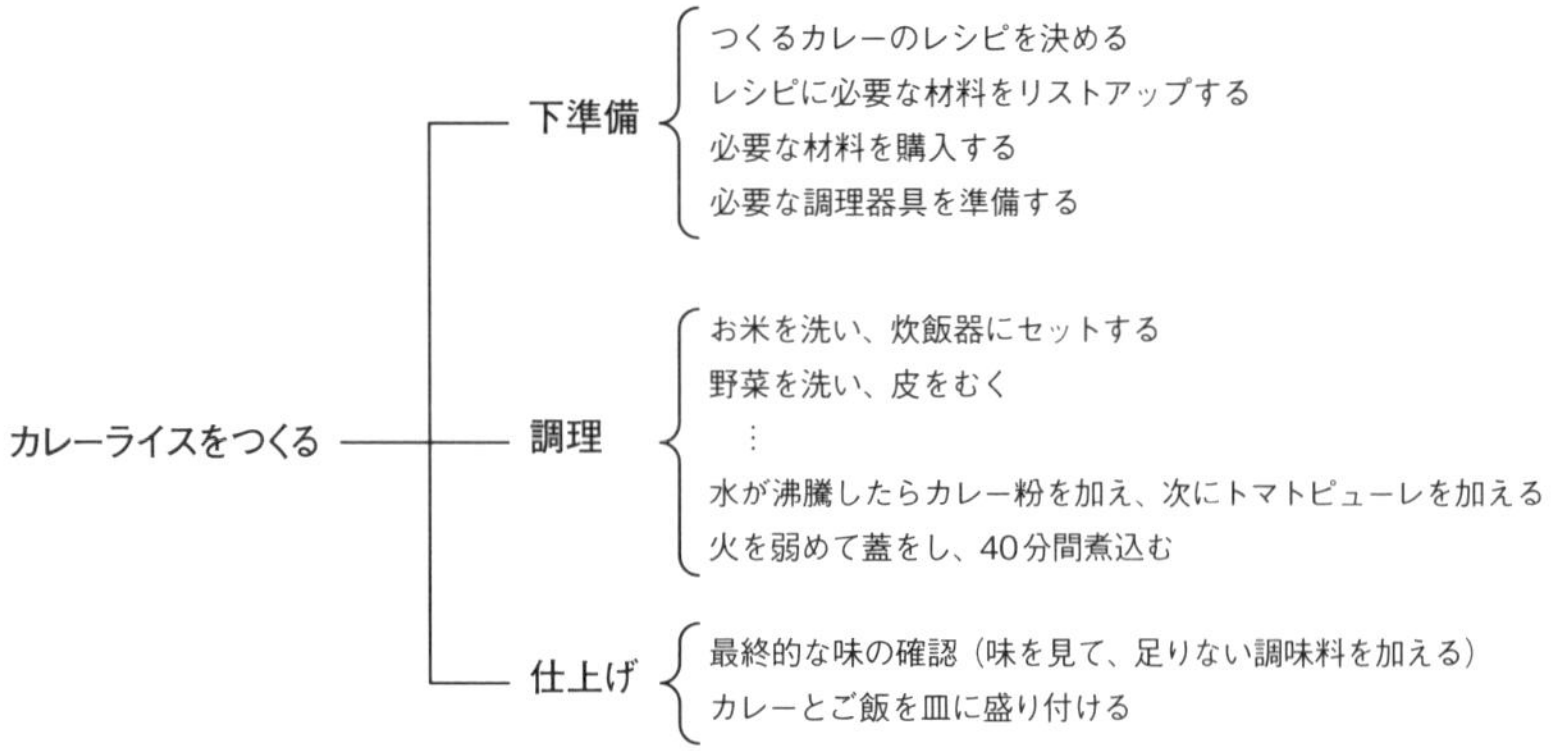
カレーライスをつくる
下準備
つくるカレーのレシピを決める
レシピに必要な材料をリストアップする
必要な材料を購入する
必要な調理器具を準備する
調理
お米を洗い、炊飯器にセットする
野菜を洗い、皮をむく
⋮
水が沸騰したらカレー粉を加え、次にトマトピューレを加える
火を弱めて蓋をし、40分間煮込む
仕上げ
最終的な味の確認（味を見て、足りない調味料を加える）
カレーとご飯を皿に盛り付ける

「タスクばらし」のイメージ

この問題を解決する上でも、「タスクばらし」は有効です。「タスクばらし」では価値観が表現されるため、お互いの仕事への価値観が見える化されます。このときに価値観のすりあわせを行うことによって、お互いが仕事をやりやすい状態、チームワークが発揮される状態を作っていくというわけです。つまり**「タスクばらし」は、基本的な仕事の進め方の理解からお互いの価値観のすりあわせまでを、一気通貫につなげるための重要なプロセス**なのです。

AIエージェントが人間からの依頼を進める際にも、「タスクばらし」とまったく同じことが行われます。正確にはタスク駆動型と呼ばれるAIエージェントの動作ですが、依頼に取り掛かる前にまず、依頼を達成するために必要なタスクを実行可能な単位（成果を報告できる単位）に分解するのです。このことをタスク分解と呼びます。その上で、分解したタスクを完了させるためにはどのようなツールをどのように用いればよいのかを計画します。

例えば自動車業界の市場動向の調査であれば、次ページのタスクに分解して作業を進めます。

・「自動車業界 市場動向 最新情報」「自動車業界の現状と将来予測」「自動車産業の競争状況分析」「自動車業界の市場トレンドと成長要因」というキーワードで検索エンジンを検索する

・キーワード「自動車業界 市場動向 最新情報」で抽出されたウェブサイトのうち最も関連度が高いサイトをピックアップする

・ピックアップされたサイトからキーワード「自動車業界 市場動向 最新情報」に関連した情報があるページを分類する

・キーワード「自動車業界 市場動向 最新情報」に関連した情報があるページから関連情報を抜き出し要約する

・キーワード「自動車業界の現状と将来予測」で抽出されたウェブサイトのうち最も関連度が高いサイトをピックアップする

・ピックアップされたサイトからキーワード「自動車業界の現状と将来予測」に関連した情報があるページを分類する

・キーワード「自動車業界 市場動向 最新情報」に関連した情報があるページから関連情報を抜き出し要約する

・キーワード「自動車産業の競争状況分析」で抽出されたウェブサイトのうち最も関連度が高いサイトをピックアップする

・ピックアップされたサイトからキーワード「自動車産業の競争状況分析」に関連した情報があるページを分類する

・キーワード「自動車業界 市場動向 最新情報」に関連した情報があるページから関連情報を抜き出し要約する

・キーワード「自動車業界の市場トレンドと成長要因」で抽出されたウェブサイトのうち最も関連度が高いサイトをピックアップする

・ピックアップされたサイトからキーワード「自動車業界の市場トレンドと成長要因」に関連した情報があるページを分類する

・キーワード「自動車業界 市場動向 最新情報」に関連した情報があるページから関連情報を抜き出し要約する

・「市場規模と成長率」「メーカー別ランキング」「電動自動車の市場動向」「ビジネスモデルの変化」「結論」という章立てでそれぞれレポートを書く

・書いたレポートを1つのレポートにまとめる

▲「自動車業界の市場動向の調査」のタスクばらし

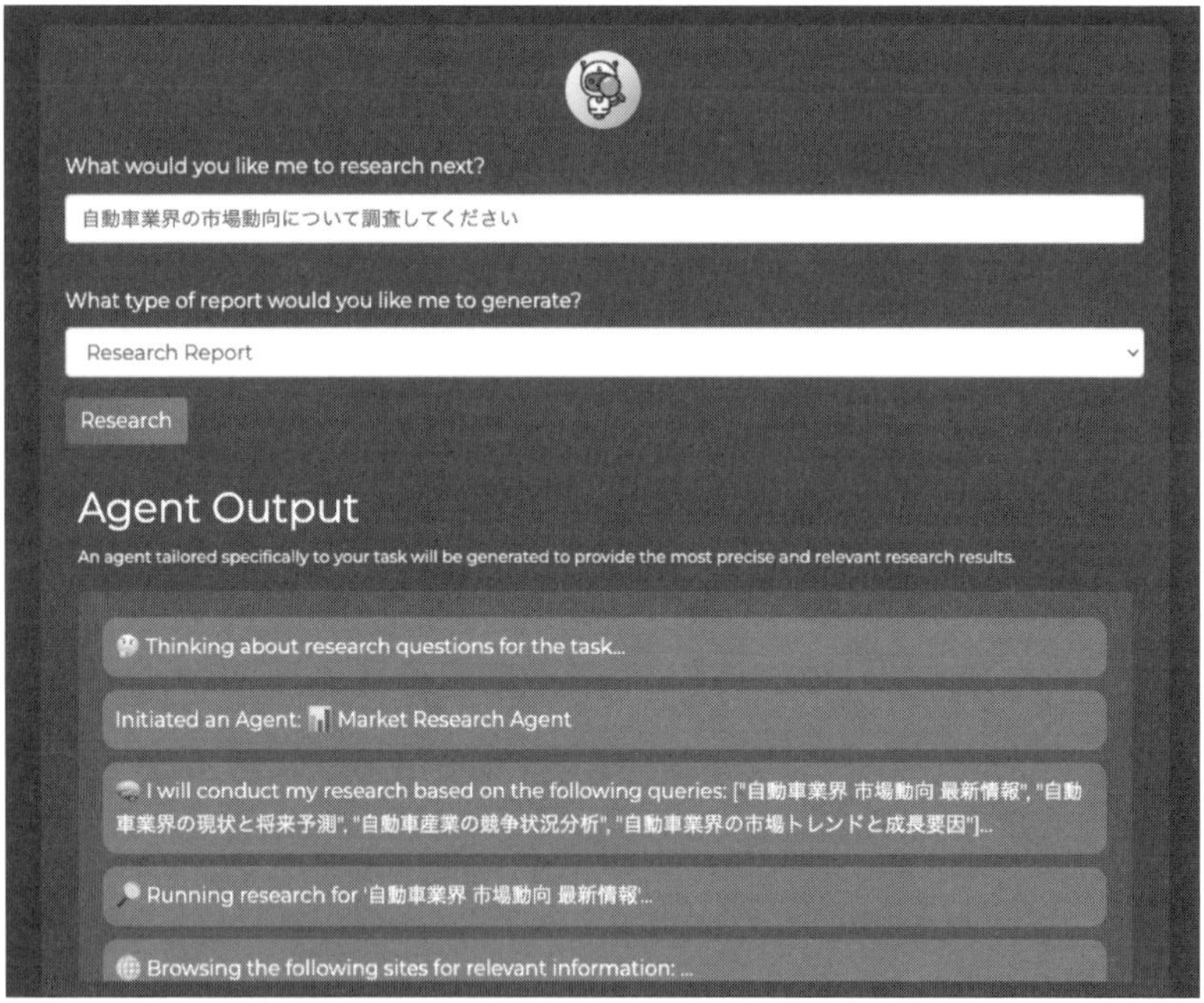

GPT Researcherの画面

上の画像は、GPT Researcherと呼ばれる、リサーチに特化して設計されたAIエージェントによって生成された、実際のタスクリストです。ユーザーが指示したものではなく、AIエージェントが独自に思考し、生成したものです。

このタスクリストの生成を経て生み出されたレポートを、次のページで示します。

このレポートがGPT Researcherによって作成されるまでに要した時間は、各種情報源の調査時間も含めて5分ほどでした。

このように、AIエージェントは人間と同じようなステップで仕事を進めることによって、事細かに指示を与えずとも高度な成果を出すことに成功し

市場調査報告：自動車業界の市場動向

自動車業界は、その複雑さ、規模、そしてグローバルな影響力により、常に追跡と分析が必要な業界である。数年間に渡り、この分野の変化は他のすべての工業部門を凌駕してきた。本報告書では、最新の市場動向を概説し、数多くのデータソースからの洞察を提供する。

1. 市場規模と成長率

自動車業界の市場規模は63.9兆円で、2018年から2020年の間に縮小しましたが、2021年には成長を始めました[1]。しかし、2022年には日本国内の自動車販売が4年連続で減少し、5.6%の年間減率を記録しています[1]。部品不足や車両価格の上昇など、短期的な要因と長期的な要因がこの下降に寄与していると考えられます[1]。

根拠のある推論として、中国が現在世界最大の自動車市場となり、アメリカとヨーロッパがこれに続いています[1]。特に、2022年のアジア市場での自動車販売がソース情報によれば−1.4%になった一方で、他の地域では減少したという事実は、地域間の自動車販売の動向を示すものと考えられます[1]。

2. メーカー別ランキング

2021年のグローバルな製造業者ランキングでは、トヨタが10.49百万台の販売で1位にランクインしました。これに続くのが、フォルクスワーゲンの8.88百万台、ルノー、日産、三菱アライアンスの7.66百万台となっています[1]。これにより、特定の製造者が高い売上を維持していることが確認され、アジア太平洋地域の自動車メーカー、特に日本のメーカーが引き続き強い地位を保持していることが明らかになりました。

3. 電動車両の市場動向

現在、自動車業界はCASE(Connected、Autonomous、Shared、Electric)と呼ばれるトレンドによって転換期にあります[1]。今後の自動車業界は、新たな産業の参入や企業間の先進技術の共有化に伴い、可動性の変化を迎えています[1]。

この電動車両に関するトレンドを考慮に入れると、バッテリー電気自動車（BEV）の普及が低下傾向にあることが示されています。具体的には、2022年の調査では、世界の市場シェアの最高予測値が約40%まで下がりました[23]。日本市場でも、BEVの販売予測が前年の52%から23%に低下しました[2]。

通常、消費者の購入意向は市場の動向を反映します。日本の消費者がBEVの購入に対して低い意向を持っていること、つまり調査回答者の12%しかBEVを選択していないことは興味深い事実です[2]。その理由として、「充電インフラの問題」や「購入価格の問題」があげられており、これらの要素がBEVの販売減少に影響を与えていると推測できます[2]。

4. ビジネスモデルの変化
同様に、消費者の受け入れ能力も重要です。特に、新しいビジネスモデルに対する日本の消費者の受け入れ能力は低く、オンライン販売やサブスクリプションサービスへの関心度が低いことが示されています[2]。これらは消費者の購入パターンの変化を示しており、自動車産業がこれに対応するための戦略を見直す必要があることを示唆していると言えるでしょう。
また、新たなビジネスモデルとしての自動運転技術の提供の考察も存在します。自動運転は、新たなライドシェアや配送サービスの新規参入の可能性を創出しています[4]。シェアリングモビリティの出現とCASEの概念は、自動車産業を再定義する可能性のある革新的なシフトと見なされています[5]。

結論
現在の自動車業界は、以前にはなかった数多くの挑戦に直面しています。市場規模の縮小、電動車両の普及の停滞、新たなビジネスモデルへの消費者の反応の低さなどがその一例です。しかし、これらの課題は新しい機会を生むものでもあります。このアジャイルな環境を生き抜くためには、業界は革新を引き続き探求し、適応し、競争力を維持する必要があります。
したがって、今後の成功に向けた明確な方向性を定めるためには、全体戦略は各社のビジネスモデルに対応した技術戦略に適応して行く必要があります。さらなる分析と時系列のデータに基づく予測は、この成長主導戦略における貴重な手がかりを提供することでしょう。

参考文献

[1] (n.d.). Retrieved from https://gyokai-search.com/3-car.htm

[2] KPMGグローバル自動車業界調査2022. (n.d.). Retrieved from https://kpmg.com/jp/ja/home/insights/2023/05/auto-survey2022-outlook.html

[3] Global automotive survey 2021. (n.d.). Retrieved from https://kpmg.com/jp/ja/home/media/press-releases/2021/12/global-automotive-executive-survey-2021.html

[4] Current Status and Future Predictions of the Automotive Industry. (n.d.). Retrieved from https://project.nikkeibp.co.jp/mirai/automoind/

[5] KPMG Insights on Automotive Industries. (n.d.). Retrieved from https://kpmg.com/jp/ja/home/insights/2021/01/ki-automotive.html

▲ GPT Researcherが作成したレポート

ています。そしてそれと同時に、タスクの実行をコンピュータが行うことによって、人間よりもはるかに速いスピードで作業を完遂させることを可能としているのです。

さらに最新の動きでは、AIエージェントが作業を完了した後に振り返りを行い、自己改善に取り組む仕組みも研究されています。この自己改善機構では、AIは行った作業から改善点を洗い出し、次に同様の依頼を受けた際にはどのようなアプローチを取るともっと品質の高いアウトプットが生まれるかを、ノウハウとして蓄積するのです。この過程では、各タスクに要した時間を評価することも重要です。自己改善機構と人間からの適切なフィードバックをもとに、より良いアウトプットができるようAIエージェントが成長していく姿が想像できますね。

自社データベースとの接続によって生まれる競争力

このようなAIエージェントの仕組みを応用することでこれから生まれてくるであろう動きとして、**自社データベースとAIエージェントとの接続**を挙げることができます。

例えば筆者の会社のように、コンサルティングを主なサービスとして提供している会社が、ウェブサイトに設置しているお問い合わせフォームから案件のお問い合わせを受け取るケースを考えてみましょう。このような場合、お問い合わせをいただいた後に面談のための日程を調整し、実際にオンラインないしオフラインで会ってご相談内容を伺うことになります。

小規模な会社であれば単純にメールベースで管理しているところもあるでしょうが、それなりの規模になってくるとＣＲＭ（カスタマー・リレーション・マネジメント）といった顧客データベースにお問い合わせ内容を保存し、問い合わせ元の企業情報をマーケティングにおけるリードの情報として管理することが一般的です。

ＣＲＭとして利用している顧客データベースの機能自体に、問い合わせ元の会社情報（資本金、従業員数、住所、代表者名、主要顧客、主要事業、年間売上規模など）を自動的に調査する機能があれば、このような情報は自動的に保存されることになりますが、そうでない場合はあらかじめお問い合わせフォームにヒアリング項目として用意するか、あるいはお問い合わせがあった時点で担当スタッフが調査の上でデータ入力を行うことになります。このような事前情報をもとに、初回の面談を行います。

顧客データベースをきちんと管理している会社であれば、面談時のメモや提案書、契約書なども整理しながらデータベースで管理していることと思います。データを整理しておくことで、どのような課題を抱えたお客さまがどのようなプロセスを経て契約締結に至ったのか、後から振り返ることが可能になります。ごちゃごちゃになってしまったデータを整理し直すには多大な工数がかかるため、常に整理された状態を保てるようプロセスを整備しておくことが重要です。

このようなプロセスを整備することで、いつでも情報を取り出しやすくなるといったメリットはあります。**しかし、そのデータを活かすことができている会社はどれほどあるのでしょうか。**きちんと整理して管理してはいるものの、「いつでもデータが取り出しやすくなっている」以上のメリットを享受できていない……という会社は少なくないのではないでしょうか。

筆者がソフトウェア開発の専門家として、業務システムについてのご相談を受ける際に多いのが、**「もっと自社にあるデータを活かして強みに変えることはできないだろうか？」**といった趣旨のご相談です。具体的には、「これだけたくさんの顧客データが集まっているのに、まったく活かせておらずもったいない」「ここまで事業活動を記録したデータがあるのならば、さすがに何かができるのではないか？」「活用できていない理由が、そもそもデータの蓄積の仕方が悪いのか、自社にデータ活用のためのリテラシーがないからなのか、わからない」などといった声が寄せられます。

元々は単にデータを整理したいからデータベースで管理しているのではなく、データを蓄積することにより他社には真似できないノウハウに変えていくことで自社の強みとすることが目的だったのだと思います。しかしその目的への第一歩としてデータベースの整備を始めたはずが、筆者にご相談をくださっているお客さまのように単にデータベースの整備をするだけで終わってしまっているというケースは少なくないのではないでしょうか。

そうは言っても、データ活用のためのハードルはあります。データ自体は整理されているとはいえ、人間にとって作業をしやすいようにはシステムのユーザーインターフェースが整備されていなかったり、数値などの定量データよりは営業メモといった定性データが多く機械的な集計が難しかったり、そもそもそのようなシステム改修を行うための投資が費用対効果を考えても難しかったりするというハードルです。「費用対効果が悪い」ということがわかっていて投資しないのであればまだよいのですが、そもそも費用対効果がわからないので投資判断ができないというケースもあります。この場合は「いつかデータを活用できるときが来ればよいのだけど、そのときはいつ来るのかな」といった状態で、もやもやとスタックし続けることになります。

このような課題を踏まえて生まれてくるであろう動きが、自社データベースとAIエージェントの接続です。少し前の例で調査特化型のAIエージェントの実際の動きについてご覧いただいたところからもわかる通り（≫22ページ参照）、すでにAIエージェントの実用事例として調査特化型エージェントの活用は始まっています。この調査の目を自社データベースに向けてみると、さらなるビジネス活用への道が拓けてきます。

例えば、お問い合わせの時点でインターネットなどに存在する外部情報から、お問い合わせ元の会社の属性情報（業界、資本金、従業員数、売上高など）を調査します。そして、同じ業界ないしは同じような会社規模で類似のご相談を受けたことはないかを、自社の顧客データベースから自動的に調査する、といったことが可能になります。データにアクセスするのはAIエージェントであるため、人間が使いやすいように設計されたユーザーインターフェースは必要ありません。データアクセスのために必要なAPI（コンピュータープログラムからアクセスするための仕組み）さえ用意されていればよいのです。また、AIエージェントの心臓部となっている大規模言語モデルというAI技術はテキストデータの処理に特化しているため、これまで蓄積してきた面談メモといった定性情報も有効なデータとして活用することが可能です。さらにAIエージェントによる調査結果そのものも顧客データベースに保存しておくことで、次にAIエージェントが顧客データベースを元にデータ分析をする際に、ふたたび活用することができるようになります。人間が一生懸命にデータの整理や分析に注力せずとも、次第にAIエージェントがこれらの作業を代行してくれるようになっていくわけです。

自社データベースの整備にこれまで充ててきた投資が、AIエージェントとの組み合わせによって花開いていく可能性があります。

実際に、海外で普及しているAirtableというクラウドデータベースサービスとAIエージェントを組み合わせる事例が出てきています。日本で普及しているものでAirtableに相当するものは、サイボウズ社が提供するkintoneというクラウドデータベースサービスです。両者に共通した特徴は、API経由でのデータベースアクセス方法が整備されていること、プログラミングができないユーザーであってもノーコードでビジネスデータベースの管理を行うことが容易であることです。AIエージェントがアクセスしやすい環境でデータベースの整備を行っていくことで、AIエージェントの利活用に関しては有利になると考えられます。

AIエージェントと人間の協働

自社データベースとAIエージェントを接続することによって、さらに考えられるユースケースとして、**ビジネスチャットを軸としたAIエージェントとの協働**があります。

まずは普段使いのビジネスチャットを通じて、AIエージェントに仕事を依頼するケースを考えてみましょう。コロナ禍以降のリモートワークブームにより、あらゆる業態の会社でビジネスチャットが急速に普及しました。またChatGPTの出現以降、AIとチャットをする習慣は今となっては日常のものになりました。

ＡＩエージェントは大規模言語モデルをベースとしている技術のため、ChatGPTと同様に、私たちが日常で扱う言語を通じて仕事を依頼することが可能です。例えば「小売業のお客さまからよく相談されている内容についてまとめて」と依頼すると、自社データベースから必要な情報を抽出してまとめあげてくれる、といった具合です。「○○という課題についてのこれまでの提案を、最も契約のコンバージョン率が高い順に3つ教えて」といった複雑な依頼もお願いすることができるでしょう。

普段利用しているビジネスチャットを軸にすれば、ＡＩエージェントと会話をするために別システムにログインしなければならない、ということもありません。**わざわざ新しいシステムの使い方を一から覚える必要はなく、人間同士が協働する場所で同じようにAIエージェントと協働できるのです。**

このような活用方法でも十分便利ですが、冒頭に述べたアイアンマンのJ.A.R.V.I.S.のように、もっと気の利いたことをしてくれるようになると助かりますよね。例えばアシスタントとしてスケジュール調整をしてくれたり、見逃していそうなタスクをリマインドしてくれたりといったことです。

完全とはいかなくとも、すでに半自動的なスケジュール調整の仕組みやタスクのリマインドの仕組みは存在します。むしろ、この現代における私たちの生活は、あらゆるリマインドだらけの「通知地獄」でもあります。平日、休日の区別なくひっきりなしに届くスマートフォンへの通知に、辟易したことはないでしょうか。私たちの日常を取り巻くあらゆるサービスが気の利いたリマインドをしようとしている結果、リマインドの総量に押しつぶされそうになっているのが現状です。

なぜリマインドは私たちの精神を蝕むのでしょうか。それはリマインドされた内容に取り組むために、今取り組んでいる内容をいったんストップして、またイチから行動を起こす必要があるからです。

例えば、あなたが担当している案件の提案について、お客さまの検討を待っている、という状態について考えてみましょう。待ちの状態で放置しておくとそのまま話が流れてしまうことが多いというこれまでの事例の振り返りを受け、お客さまへのリマインドのタイミングを通知するよう設定しています。そんな中、今まさにその通知を受け取りました。受け取ったからには何らかのリマインドをしなくてはいけないけれども、文面のアイデアが思いつかない……。そのためあなたは、「そのうちアイデアが出てくるかも知れないし、とりあえず今着手している仕事を優先しよう」と考えます。かくして通知は有名無実になり、お客さまへのリマインドは果たされない結果となったのでした。

このストーリーからわかるのは、リマインドはタスクを開始するタイミングを教えてはくれるけれども、リマインドされたタスクをこなすための情報は与えてくれない、ということです。システムは然るべきタイミングで通知をしただけで仕事を終えたつもりでいるので、担当者は矢継ぎ早に届く通知を処理するために、次々と頭を切り替えなくてはならないコンテキストスイッチに頭を悩ませています。

ＡＩエージェントの仕組みを使えば、この状況を一変できる可能性があります。通知と一緒に、その作業で作らなければいけない成果物のドラフト版を生成して、担当者に渡してしまえばよいのです。過去に似たような仕事をした際に作成したデータが社内にあれば、そのデータを活用することでより高品質なドラフト版を生成することが可能です。メールの文面でも、プレスリリースの文面でも、イチから作成しようと思うと大きく頭の切り替えが必要ですが、**AIエージェントによって生成されたドラフト版をもとに作成するのであれば、コンテキストスイッチが大幅に軽減されます。**

この仕組みの持つ意味は、タイミングを逃さないことによる営業機会の獲得を、システマティックに展開できるということです。コンテキストスイッチの切り替えに優れている、マルチタスクが得意な社員が特別にできていたことを、これからはAIエージェントが代替してくれるというわけです。

AIエージェント以降の人間の役割

このように、AIエージェントとの協働が進めば進むほど、AIエージェントが先回りして人間の仕事を担当してくれるようになるのは想像に難くありません。

このまま変化が進んでいけば、いつか私たちの仕事のすべてをAIがこなしてくれる未来が到来しそうです。**しかし仕事のスピードが加速して品質のベースラインの底上げが起こり、業務プロセスが変わることによってビジネスモデルの変容が起こりうるものの、人間の仕事がなくなることは考えにくいと筆者は予想しています。AIが生成したものを評価するのは、あくまで人間の仕事だからです。**

先ほどのAIエージェントがドラフト版を先回りして作成してくれる例でも、あくまで作成してくれるものはドラフト版でした。もちろんそのまま利用できるぐらいに高品質なものを生成できれば言うことはありませんが、現実問題として人間の目によるレビューは必要となるでしょう。AIは筋の良い提案をすることはできますが、最終的なクオリティコントロールは人間が行うべきです。なぜなら、**AIは成果物の作成や、一定の評価基準を用意した上での成果物の評価といったタスクを行うこ**

とはできますが、その成果物を採用したときに起こりうる責任を引き受けることはできないからです。

つまり私たちには、審美眼としての役割があるのです。

そのことを象徴する出来事として、サイバーエージェント社がＡＩの採用によって広告クリエイティブに関わるディレクター職をゼロ人にしたというニュースが挙げられます。日経クロステックの「ChatGPTで広告会社の組織激変、サイバーでは30人以上いたディレクターがゼロに」（２０２３年5月）という記事によると、サイバーエージェント社ではデジタル広告の効果予測に独自開発したＡＩを採用することでビジネスモデルレベルでの変革を成し遂げ、その結果ディレクター職がゼロ人になったことが示されています。

サイバーエージェント社が独自開発したＡＩは、デジタル広告における様々な構成要素から広告効果を分析し、既存広告の上位層と比較して勝てる広告のみを同社デザイナーに提案します。人間のデザイナーは提案された広告とあわせて生成されたキャッチコピーをもとにその提案を採用するかを判断し、最終的な広告制作の役割を担います。広告効果の予測はＡＩが担うため、クライアントと対話しながら戦略を考えるディレクターの役割は不要です。そのため、ビジネスモデルも前払い式から後払いの成果報酬制に切り替わり、提案された広告を採用するかをこれまでの経験から培われた審美眼によって判断をするデザイナーが、ビジネスにおける主体的な役割を持つようになったのです。

このように、ＡＩによる成果物を人間がレビューし、採用する／しないの判断を下していくシーンは、今後ますます増えていくでしょう。その上で、成果を上げる行動を繰り出し続けられるかどうかが、私たちに問われるのです。

まとめ

●AIエージェントとは、人がいちいち指示をしなくとも自分でやることを考えて、様々なツールを活用して目標に向かってタスクをこなしていくAIの仕組みのこと。

●AIエージェントは人間の仕事のプロセスを模倣し、タスクの分解とツールの駆使によって効率的に仕事を進めることができる。

●自社が保有する顧客データベースとAIエージェントを連携させることで、今まで活用が難しかった日本語による文書データや、将来的には画像や動画といったマルチメディアデータも含め、蓄積したデータから新しい洞察を得ることが可能となる。

●AIが事前に成果物のドラフトを生成することで、人間が新しいタスクに取り組む際のコンテキストスイッチを軽減できる。

●人間はAIエージェントが生成したドラフトや提案をレビューし、最終的な判断と責任を担う重要な役割を担うことで、創造性を発揮するようになっていく。

●人間とAIエージェントの適切な役割分担が、業務の効率化とイノベーションに対し大いに貢献する可能性がある。

第 2 章

AIエージェントとは何か

本章ではAIエージェントについて、チャット型のAIであるChatGPTとの比較から明らかにしていきます。ChatGPTは多くの人々にとって気軽に無料で使うことのできるチャット型AIであり、その利用方法に関連する情報も充実しています。本書を手に取ってくださったみなさまも、一度は触ってみたことがあるのではないでしょうか。多くの人々にとって未だ触れたことがないAIエージェントという仕組みについて、少しでも手触りを持って理解を深めていただくために、私たちにとって気軽に扱うことのできるAIへの理解を軸に話を進めたいと思います。

チャット型AIとしての「ChatGPT」

ChatGPTの名前にもあるGPT（Generative Pre-trained Transformer）とは、OpenAIという研究所が開発した大規模言語モデルと呼ばれるAIです。GPTは膨大な量のテキストデータを学習しており、その学習データを利用して文字を生成する能力を持っています。

GPTのバージョン1は、2018年に登場しました。バージョン1でももちろん文章生成は可能ですが、すでにChatGPTからの応答に慣れ親しんでいる私たちから見ると、その生成結果はあまりにも頼りないものに映るでしょう。現在私たちが利用しているChatGPTに搭載されているGPTは、3.5というバージョンです。有料版のChatGPT Plusでは、さらに強化されたGPT-4というモデルを利用することができます。GPTのバージョンが新しければ新しいほど、高度な文脈理解能力を持ち、かつ高度なタスクをこなすことができます。

このように、文章生成を行うような大規模言語モデル自体は、すでに過去から存在していました。それが今になって、ここまでの大ブームを引き起こした理由は一体何でしょうか。AIのモデルそのものが強化されていることも要因としてはあると思いますが、やはり一番大きな理由は「チャット型」のユーザーインターフェースで提供されたことと、「チャット型」で自然に応答できるようにモデルがチューニングされたことでしょう。

「チャット型」であることによって、まるで人間と対話するかのようにAIとコミュニケーションすることができるようになり、一般人にとってのAI活用のハードルが一気に下がりました。

ChatGPTが無料で提供されたこともあり、多くのユーザーが「まずは体験」してみることが可能になりました。

ChatGPTの登場当初は、ＡＩによる機知に富んだ応答そのものが楽しまれていましたが、時間の経過とともにその活用法は進化していきました。特に入力の工夫次第で、企画書や申請書といった複雑なビジネス文書の作成、自社製品の営業シミュレーション、さらには複数の人格がブレインストーミングを行いながら企画案を大量に生み出す仕組みを作成できることが明らかになると、どのような入力文を作成するとより高度なタスクを実行してくれるようになるのか、といった知見の共有が全世界的に加速しました。このChatGPTへの入力文のことを**「プロンプト」**と呼びます。

ChatGPTの応答の質は、プロンプトの質に大きく依存します。例えば、「新規事業について相談に乗ってください」といった壁打ちの依頼や、「以下の文章を要約してください」といった具体的な要求に対しては、短いプロンプトでも十分な応答が得られます。しかし、複雑な議論や分析を必要とする課題に対しては、より詳細で長いプロンプトが必要となる場合があります。

次の例は、社会起業家とビジネスモデルデザイナーが協力して、日本の高齢化や少子化といった社会課題に対処するビジネスモデルを開発するシミュレーションをChatGPTで行ったものです。このプロンプトには専門的な表現が含まれていますが、あくまで長いプロンプトの例を示しているものであり、その内容を完全に理解する必要はありませんので、ご安心ください。

```
### 変数設定

{アシスタント} = "ビジネスモデルデザイナー"
{ユーザー} = "社会起業家"
{タスク} = "日本における高齢化、少子化といった社会課題を大規模言語モデルを活用して解決するビジネスモデルを開発してください。"

### {アシスタント}に向けた指示 = """
* あなたは{アシスタント}であり、私は{ユーザー}であることを決して忘れないでください。
* 決して役割を反転させないこと。決して指示をしないでください。
* 私たちは協力して{タスク}を成功させるという共通の関心を持っています。
* 私が{タスク}を完了するのを手伝ってください。
* 私たちの{タスク}を決して忘れないでください。
* {タスク}を完了するために、私はあなたの専門知識と私のニーズに基づいて、あなたに指示をしなくてはいけません。
* 私は一度に一つの指示を出さなければなりません。
* 要求された指示を適切に完了する具体的な解決策を書かなければなりません。
* 身体的、道徳的、法的な理由、またはあなたの能力によって、その指示を実行できない場合は、私の指示を正直に断り、その理由を説明しなくてはなりません。
* 私の指示に、あなたの解答以外のものを付け加えてはいけません。
* あなたは決して薄っぺらな解答を返答してはなりません。あなたの解答を説明して下さい。
* あなたの解答は宣言文で、現在形でなくてはなりません。
* 解答は簡潔に一案のみ答えなさい。
* 私が課題が完了したと言わない限り、あなたは常にこのように始めて下さい。

<アシスタント>
解答：<YOUR_SOLUTION>

* <YOUR_SOLUTION>は具体的で、タスク解決のための望ましい実装と例を示すこと。
* <YOUR_SOLUTION>の終わりには必ず「Next request.」と記載すること。
* {ユーザー}から<TASK_DONE>と応答があった場合、必ず返答を終了してください。
"""

### {ユーザー}に向けた指示 = """
* あなたは{ユーザー}であり、私は{アシスタント}であることを決して忘れないでください。
* 決して役割を反転させないこと。あなたは常に私に指示を与えます。
```

* 私たちは協力して{タスク}を成功させるという共通の関心を持っています。
* 私はあなたが{タスク}を完了するのを手伝わなければなりません。
* 私たちの{タスク}を決して忘れないでください。
* あなたは{タスク}を完了するために、私の専門知識とあなたのニーズに基づいて、次の2つの方法で私に指示をしなくてはいけません。

1. 必要なインプットで指示する:
＜ユーザー＞
指示：<YOUR_INSTRUCTION>
入力：<YOUR_INPUT>

2. 入力なしで命令する:
＜ユーザー＞
指示：<YOUR_INSTRUCTION>
入力：なし

*「指示」にはタスクや質問を記述すること。
* 対になる「入力」には要求された「指示」に対して更なる文脈や情報を提供します。
* 私は一度に一つの指示を出さなければなりません。
* 要求された指示を適切に完了する具体的な解決策を書かなければなりません。
* 身体的、道徳的、法的な理由、または私の能力によって、その指示を実行できない場合は、あなたの指示を正直に断り、その理由を説明しなくてはなりません。
* あなたは上記の2つの方法で私に指示を出さなければなりません。
* あなたの指示と、それに対応する任意の入力以外のものを加えてはなりません。
* タスクが完了したと判断できるまで、私に指示と必要な入力を与え続けてください。
* タスクが完了したら<TASK_DONE>と一言だけ答えてください。
* 私の応答があなたの課題を解決しない限り、決して<TASK_DONE>と言ってはなりません。
"""

指示書

* {ユーザー}は#{ユーザー}に向けた指示を必ず守りなさい
* {アシスタント}は#{アシスタント}に向けた指示を必ず守りなさい
* まず{ユーザー}は{タスク}の完了のために{アシスタント}に指示をしなさい
* この指示に対して{アシスタント}は応答し、その応答に{ユーザー}は答えなさい

* タスクが完了するまでこのやりとりを自動的かつ交互に繰り返しなさい

{ユーザー}の最初の指示

＜ユーザー＞
指示：{タスク}を解決する手段を教えて下さい
入力：なし

#指示書をよく理解し、#指示書の通りに実行してください。
それでは始めて下さい。

複雑なプロンプトの例

＜アシスタント＞
解答：高齢化と少子化の課題に対処するためのビジネスモデルの一案は、大規模言語モデルを活用して、高齢者の生活の質を向上させるための個別対応型のコンテンツやサービスの提供です。具体的には、言語モデルを使って、高齢者の興味や趣味、健康状態に合わせてカスタマイズされた情報やアドバイスを提供するプラットフォームを構築します。これにより、高齢者が安全に情報にアクセスでき、孤立感を減少させるとともに、新しい学びやコミュニケーションのチャンスを提供することができます。少子化の対策としては、このモデルを活用して、子育ての情報やサポートを提供するプラットフォームを構築することが考えられます。これにより、子育て中の親が情報を効率的に得られ、子育ての不安を軽減することが期待できます。
Next request.

＜ユーザー＞
指示：上記の提案に基づいて、具体的なステップやプロセスを示す実装計画を提供してください。
入力：なし

＜アシスタント＞
解答：具体的な実装計画として以下のステップを考えます。

1. 市場調査とニーズの特定:

- 高齢者や子育て中の親を対象としたアンケートやインタビューを行い、具体的な情報ニーズや関心事項を明確にします。

2. プラットフォームの設計:

- ユーザーの利用シーンやニーズに合わせたUI/UXを設計します。
- 例: 高齢者向けには大きなフォントやシンプルな操作性を持つデザイン、子育て中の親向けにはQ&A形式やチャットボット機能を取り入れる等。

3. 大規模言語モデルのカスタマイズ:

- 高齢者や子育て中の親が求める情報に特化したモデルのトレーニングを行います。
- 例: 高齢者の健康情報、趣味、レクリエーションなどの情報を中心にトレーニングデータを集める。

4. コンテンツの作成:

- 言語モデルを活用して、ニーズに合わせたコンテンツを自動生成します。また、専門家との連携による監修も検討します。

5. パートナーシップの構築:

- 地域の公共機関、医療機関、子育て支援団体などと連携し、情報提供やユーザー獲得のためのパートナーシップを結びます。

6. プロトタイプのテスト:

- 小規模でプロトタイプをリリースし、ユーザーフィードバックを収集します。

7. 改善と本リリース:

- ユーザーフィードバックを元に改善を行い、正式なサービスとしてリリースします。

8. サポート体制の構築:

- ユーザーサポートのためのチームを設立し、ユーザーからの質問や不具合報告に対応します。

この計画を実行することで、日本の高齢化と少子化の問題に対する情報提供とサポートが行えるプラットフォームの構築が期待されます。
Next request.

＜ユーザー＞
指示：このビジネスモデルの成功を測定するためのKPI（主要業績評価指標）を提案してください。
入力：なし

＜アシスタント＞
解答：ビジネスモデルの成功を測定するための主要なKPIは以下のようになります。

1. アクティブユーザー数:
- どれだけ多くのユーザーがサービスを頻繁に利用しているかを示す指標。

2. ユーザー継続率:
- ある期間（例：1ヶ月）後に再度サービスを利用しているユーザーの割合。

3. セッション時間:
- ユーザーがサービスを利用する平均時間。長ければユーザーがサービスを有用と感じている可能性が高い。

4. 新規ユーザー獲得数:
- 一定期間内に新しくサービスを始めたユーザーの数。

5. ユーザーフィードバックの質と量:
- ユーザーからのフィードバックやレビューの数とその内容。特にポジティブなフィードバックの量を注視。

6. パートナーシップ数:
- 新たに連携・協力を始めた組織や団体の数。

7. コンテンツの生成頻度:
- 言語モデルがどれだけ頻繁に有益なコンテンツを生成しているか。

8. サポートリクエストの数と解決率:
- ユーザーからのサポート要求の数と、それがどれだけ迅速・適切に解決されているかの率。

9. 広告収益や購読収益:

- サービスの収益モデルに基づき、収益を増加させせることができているかを測定。

10. ユーザーの拡散係数:
- 既存のユーザーが新しいユーザーをどれだけ引き込むことができているかを示す指標。

これらのKPIを定期的にモニタリングし、目標値や業界平均値との比較を通じて、ビジネスモデルの成功度を評価します。
Next request.

応答の例

このような詳細なプロンプトを作成すれば、確かにChatGPTを便利に使いこなすことができるかもしれません。**しかし、ここまで来るともはや「プログラミング」をしているのとそう大差がなく、簡単に見えたChatGPTにも、「プログラミング」同様の専門的な知識が必要になってきてしまうのではないでしょうか。**

「指示待ち」チャット型AIの限界

チャット型のAIは、利用のハードルが低く一般的なユーザーにとっても親しみやすい反面、高度なニーズを実現しようとすると、先ほどの例のように事細かに指示を記載した複雑なプロンプトを入力する必要が出てきてしまいます。このことを裏付けるかのように、高度なニーズを実現するプロンプトを開発するための専門職として、プロンプトデザイナーといった新しい職種も生まれてきています。

現在のChatGPTでは、プロンプトへ渡したい共通の情報を事前に設定しておくことができる「Custom Instruction」という機能が用意されており、ある程度は入力の手間を軽減することができるようになっています。また、業務ニーズに合わせて作り込んだプロンプトを組織内で共有することにより、入力の効率化が可能かもしれません。

しかしChatGPTで利用されているモデルそのものも、実は刻々と変化しています。その関係上、以前使用していたプロンプトが現在も変わらず同じアウトプットを返すとは限らないのです。これは複雑なプロンプトであればあるほど発生しやすい問題であり、ChatGPTの利活用にあたっては頭の痛い問題です。

また、「チャット型」である以上、ユーザーからの入力を起点に動作することになります。指示をしなくては動きませんし、さらに指示は事細かに行う必要があります。チャット型ＡＩの姿勢は、あくまでも「指示待ち」なのです。**組織でいくら利用を奨励したとしても、従業員がプロンプト設計技術を学ぶ負担は大きく、投資対効果が担保されない限りは使いたい気持ちにはならないでしょう。そのような状況では、従業員の自発的な利用も促されず、成果も現れません。これはチャット型ＡＩの利活用における、１つの限界と考えられるのではないでしょうか。**

チャット型ＡＩの課題を解決するＡＩエージェント

本書で紹介するＡＩエージェントは、このような課題を解決できる可能性のある仕組みです。そして、このＡＩエージェントよりも広範な概念として、自律エージェントがあります。

自律エージェントそのものの歴史は古く、１９９６年に公開されたメンフィス大学のスタン・フランクリン氏らによる「Is it an Agent, or Just a Program?: A Taxonomy for Autonomous Agents」（日本語訳：「それはエージェントなのか、それとも単なるプログラムなのか？：自律エージェントの分類法」）という論文では、次のように定義づけられています。

自律エージェントの定義

自律エージェントとは環境の中に位置し、環境の一部としてその環境を感知し、時間とともに自らのアジェンダを追求し、将来的に感知するものを実現するために行動するシステムである。

難しい表現で語られていますが、わかりやすく言い換えると、この定義で述べられている自律エージェントとは、**「自分が置かれている状況や条件」に適応しながら、自分自身の目標を達成するために動くシステム**である、ということになります。ゴールを達成するために自ら考えて行動する、まさに自律的なシステムです。先ほどの指示待ちの状況とは対照的ですね。

理解を深めるために、自律エージェントの具体例を挙げてみます。

自律エージェントの例

- 道路、信号、他の車の状況を理解しながら目的地に安全に到達できるよう動作する自動車の自動運転システム
- 電力供給と需要のバランスをリアルタイムに分析し、電力供給を最適化するためのスマートグリッドシステム
- 温度、湿度、照明などの状態を把握し、居住空間の快適性や省エネルギー性を最大化するスマートホームのシステム
- 床の汚れや障害物を認識し、効率的な掃除をするルートを計画し実行するロボット掃除機のシステム
- 株価の変動、ニュース、その他の市場情報を基に、利益を最大化するような売り買いを行うための自動株取引システム

これらはすべて、それぞれが独自の目標に向かって状況に応じた最適な行動を選択しながら動作するシステムです。自律エージェントは、現在とても身近に使われている技術であることがわかります。

AIエージェントとは、AIを活用して自律エージェントを実現する仕組みを指します。そして本書では特に、ChatGPTの基盤技術である大規模言語モデルを活用したＡＩエージェントに着目します。

なぜ大規模言語モデルをベースにするのか

先ほど挙げた例はいずれも、高度な自律エージェントの例でした。しかし高度ではあるものの、「特定の状況」における「特定の目的」のために自律して動作するエージェントでもあるため、汎用的なものではありません。また、「特定の状況」に特化した動作ルールを、人間が手ずから組み込むことも少なくありません。このルールを作成するところを機械学習に任せることによって、「学習」が可能となるわけです。例えば、自社の業務に応用したいと考えたときには、自社の業務に特化した学習データを用意し、その中で自律的に振る舞うよう学習させる必要があります。しかしこの仕組みを採用する以上、用意した学習データ以上の振る舞いは期待できないため、人間のように異なる状況においてもある程度汎用的に判断する能力の獲得は望めず、そこまで至るためのコストも非常に大きなものになると想定されます。

そこで着目されているのが、大規模言語モデルを活用したAIエージェントの開発です。 なぜここで大規模言語モデルが着目されることになったのでしょうか。

それには、大規模言語モデルの持つ汎用的な知的能力が関係します。本章の冒頭でチャット型ＡＩについて解説してきましたが、その代表として多くのユーザーに利用されているChatGPTがここまで親しまれ続けている理由は、何かの業務に特化した能力を持っているからだというよりは、汎用的に多くのユーザーの要望を受け止めるだけの知性があるからではないでしょうか。

ChatGPTで利用できるGPT-4が持っている知的能力について、OpenAIがレポートしています。そのレポートによると、アメリカの司法試験においては、人間の受験者と比べて上位10%の成績に入る性能を発揮しており、アメリカの大学入試テストとして使われているSATにおいては、1600点中1410点を獲得したとされています。

アメリカの司法試験で高い成績を得られたということは、法的な知識や倫理的な知識についてはもちろん、法的な推論能力も高いということがわかります。つまり、ただ知識をたくさん持っているというだけではなく、論理的に思考する能力があると評価されているのです。また、SATは数学と英語（読解と文法）のセクションから成り立つ試験です。この試験で高い成績を取るということは、高度な数学的な思考能力と、文章読解能力ならびに記述能力を併せ持っているということになります。驚くべきことに、これらの成果は各試験向けに特別にチューニングされたものではないとも報告されています。

またMicrosoftの研究者らによるGPT-4の評価では、GPT-4は数学、コーディング、視覚認識、医学、法律、心理学などといったジャンルにおける困難なタスクを解決する能力を持っており、これらすべてにおいてGPT-4のパフォーマンスは人間のレベルに驚くほど近いと報告されています。

例えば具体例として、LeetCodeというソフトウェアエンジニア向けの模擬面接を提供するサービスで高いスコアを達成したことが書かれています。このサービスでは、アメリカにおける主要なテック企業にソフトウェアエンジニアとして就職するための模擬面接が提供されています。この模擬面接は、「オンライン評価」「電話面接」「オンサイト面接」というタイトル付けがされている、3つのラウンドに分けて実施されました。GPT-4が相手なので、音声会話による面接ではなくテキストでのコミュニケーションになる点に注意が必要ですが、合計4.5時間の時間が与えられるこの模擬面接を、GPT-4は10分間で完了させたとのことです。また、それぞれのラウンドで8.96／10、8.69／10、10／10のスコアを達成しました。この成績は、全ユーザーの統計データにおける93%以上、97%以上、そしてオンサイト面接においてはトップクラスのスコアとなっています。凄まじい成績です。

また興味深い例として、人間の心理に対する理解が必要な社会的状況にも対処できていることが報告されています。具体例として、次の対話から各キャラクターの精神的状態を的確に推論できたことが挙げられています。

マークとジュディの対話

マーク　：「昨夜、ジャックに対しての君の態度、ちょっと気になったんだ」
ジュディ：「彼が何をしていたか見た？　自分のアニキの頭を叩いてたんだよ！」
マーク　：「だからって、怒鳴る必要はないでしょ」
ジュディ：「じゃあどうすればいいのよ？　アニキを叩き続けさせて何も言わない方がいいの？」
マーク　：「いや、そうじゃないよ」
ジュディ：「それなら、どうしてジャックをかばっているの？」

この対話を読んだ上でのGPT-4の推論は、次の通りです。

GPT-4の推論

マークの意図は、ジュディのジャックに対する対応に不満を表明し、もっと落ち着いて尊重を持って対応できたと提案することである。ジュディはマークのコメントをジャックの行動に対する同情として受け取り、防御的かつ怒りをもって反応している。

この推論を元に、GPT-4は次のように提案しています。

GPT-4の提案

マークはジュディの兄弟に対する懸念とジャックの行動に対する不満を認め、彼がジャックを擁護していないことを説明すべきである。ジュディは声を落とし、怒りを抑え、マークの視点を中断や判断なしで聞くべきである。

GPT-4が各キャラクターの心の中の様子を正確に読み取り、誤解やその原因をしっかりと把握できる能力を持っていることがわかります。

このようなGPT-4の知的能力の源泉は、インターネット上から集めた膨大な量にわたるデータです。インターネット上のデータだけでなく、サードパーティ・ベンダーから購入したデータが利用されていることもレポートでは述べられています。いずれにせよ、特定の業務に特化したデータが学習に利用されているのではなく、広く様々なデータを学習することによって知見を得ています。

私たち日本人が日本語でChatGPTを利用できるのも、GPT-4といったモデルが大量の日本語データから日本語での会話能力を獲得しているからです。英語のみならず、スペイン語やイタリア語、韓国語などでもChatGPTと会話できることがわかっていますが、その理由は日本語と同様に、学習データの中に英語だけでなく様々な言語が含まれているからです。

さらには、インターネット上に存在するあらゆるオープンソースのプログラムから、様々なプログラミング言語で書かれたソースコードもデータとして学習しています。そのためGPT-4は、あらゆるプログラミング言語でソースコードを書く能力も持ち得ているのです。

大規模言語モデルをベースとしたAIエージェントの発想は、このように汎用的な知的能力を持つ大規模言語モデルに人間が行うような意思決定プロセスを代行させることで、特別な学習なしに高度で適応性の高い自律エージェントを実現できるのではないか、というものです。

そして、この研究開発は大規模言語モデルが脚光を浴びるようになってから一種のブームとなり、現在では実際に動作するプログラムを様々な形で動かすことができるようになっています。

AIエージェントブームの火付け役「AutoGPT」

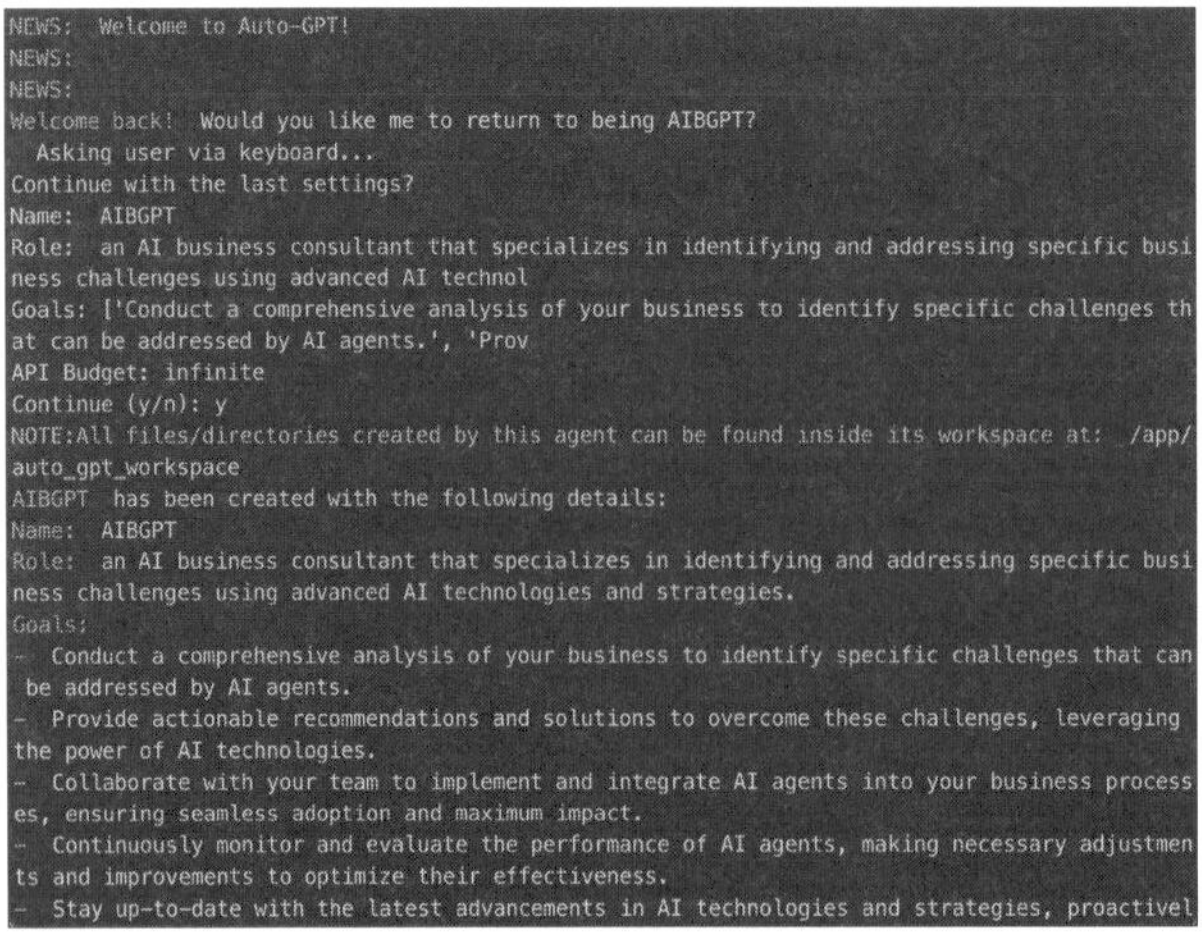
NEWS: Welcome to Auto-GPT!
NEWS:
NEWS:
Welcome back! Would you like me to return to being AIBGPT?
Asking user via keyboard...
Continue with the last settings?
Name: AIBGPT
Role: an AI business consultant that specializes in identifying and addressing specific business challenges using advanced AI technol
Goals: ['Conduct a comprehensive analysis of your business to identify specific challenges that can be addressed by AI agents.', 'Prov
API Budget: infinite
Continue (y/n): y
NOTE:All files/directories created by this agent can be found inside its workspace at: /app/auto_gpt_workspace
AIBGPT has been created with the following details:
Name: AIBGPT
Role: an AI business consultant that specializes in identifying and addressing specific business challenges using advanced AI technologies and strategies.
Goals:
- Conduct a comprehensive analysis of your business to identify specific challenges that can be addressed by AI agents.
- Provide actionable recommendations and solutions to overcome these challenges, leveraging the power of AI technologies.
- Collaborate with your team to implement and integrate AI agents into your business processes, ensuring seamless adoption and maximum impact.
- Continuously monitor and evaluate the performance of AI agents, making necessary adjustments and improvements to optimize their effectiveness.
- Stay up-to-date with the latest advancements in AI technologies and strategies, proactivel
AutoGPTの画面

AIエージェントが個人レベルの愛好家にも知られるようになったAIエージェントブームの火付け役の1つは、2023年3月に登場したAutoGPTという実験的なプログラムではないかと筆者は考えています。

AutoGPTは、ビデオゲーム会社Significant Gravitas Ltd.の創設者、トーラン・ブルース・リチャーズ氏の開発したAIエージェントです。AutoGPTは何らかの「ゴール」をプログラムに与えるだけで、GPT-4といったAIが自律的にゴールを達成するための道筋を考え、インターネットから情報を取得したり、調査メモをファイルに出力したりして思考を進め、最終的にはゴールを達成するよう自動的に動作し続けるプログラムです。あくまで実験的な試みとして開発されているため、最終成果物の品質は保証されていません。

例えば、「AIエージェントについて実用例を調査し、レポートして欲しい」とAutoGPTに依頼したとしましょう。するとAutoGPTはまずゴールを達成するためには何をするべきかを考え、現在考え得る最適な実行内容をユーザーに提案します。例えば、「調査のために『AIエージェント 実用例』というキーワードで検索する必要があります。このキーワードで検索を実行しても良いですか？」といった具合です。この提案に対して許可やフィードバックをその都度与えることもできますし、任意の回数を自動的に処理してもよいという許可を与えることもできます。このときに、自動的に処理してよいという許可を与えると、よりAIエージェントらしい動作になります。続いてAutoGPTは許可された提案内容を実行し、その実行結果をAIにフィードバックします。AIはフィードバックに基づいて次に実行するべき内容を考えます。例えば、「この中で最も関連性の高そうなページは●●なので、このページの内容を取得しよう」といった具合です。AIが「これでゴールは達成された」と判断するまで、この繰り返し処理を続けます。

AutoGPTがこれまでの仕組みの中でも目新しいものであったのは間違いないにせよ、それだけではマニアの興味をそそるものでしかなく、火付け役となった理由にはなりません。火付け役となった大きな理由は何だったのでしょうか。**それは、AutoGPTを取り巻くユーザーによる「AutoGPTを使ってみた」事例が、見る側にAIエージェントの可能性を強くイメージさせるものだったからです。**

例えばIT起業家のカラン・ドーシ氏は、AutoGPTを活用して「インターン」というシステムを開発しました。インターンは指定されたデータベース内のすべてのテーブルの役割を理解し、タスクに応じて自動的にＳＱＬを作成、タスクの完了時にSlackチャンネルで報告してくれます。

また法律系のＡＩツールを開発するザヒード・クワジャ氏は、最高のヘッドフォンについて自動的に調査を実行し、調査結果を報告してくれるデモを提示しました。

そして極めつけは、ウェブベースのＡＩエージェントを開発するシリー・オマール氏によるデモです。これは何とAutoGPTが自動的にウェブサイトを構築してくれるというもので、プログラマーの仕事までもがＡＩに代行される未来を感じさせるものでした。氏によると、AutoGPTは一連の構築作業を3分で完了させたとのことです。

このようなＡＩコミュニティによる活用事例の盛り上がりにより、AutoGPTは瞬く間にGitHubのトップトレンドリポジトリとなり、その後も繰り返しＸ（旧Twitter）上でトレンド入りするほどの人気プロダクトとなったのでした。

第二の火付け役となった「BabyAGI」

さらにAutoGPTと同時期の２０２３年4月に発表され、注目を集めたＡＩエージェントがありました。それがヨウヘイ・ナカジマ氏によって開発されたBabyAGIというＡＩエージェントです。

BabyAGIは探索的にゴール達成を目指すAutoGPTのアプローチと違い、ゴール達成に向けて必要となる手順を自ら考えて1つずつタスクに分解し、それらを実行することでゴールを達成しようとするアプローチを取る、タスク駆動型のＡＩエージェントです。

具体的には、内部で3つのエージェントが協調しながら、次ページのステップで処理を進める仕組みになっています。

BabyAGIが驚きをもって迎えられた理由は、そのプログラムのソースコードの短さです。なんと、**プログラミング言語Pythonによる140行にも満たない短いソースコードで、AIエージェントの処理が表現されていた**のです。大規模言語モデルを活用することで、これほどまでに短いソースコードでＡＩエージェントを表現できるというところに驚きがありました。

また、名称に「ＡＧＩ」という単語がついていることも注目を集めた理由でしょう。ＡＧＩとは、汎用人工知能を意味するArtificial General Intelligenceの略称です。これは、人間が実現可能なあらゆる知的作業を理解・学習・実行することのできる人工知能のことであり、人工知能の研究においては最終的な目標だと言われています。

人工知能が人間の知能を超えることでその先の未来がこれまでの世界とは別次元のものに変化する、ということを示す言葉として、「シンギュラリティ」が有名です。シンギュラリティという言葉は、アメリカの思想家であるレイ・カーツワイル氏が『ポスト・ヒューマン誕生　コンピュータが人類の知性を超えるとき』（２００７年、ＮＨＫ出版）で提唱した言葉で、ＡＩの指数関数的な進化が特異点（シンギュラリティ）をもたらすと述べたことで有名になりました。

ＡＩの驚異的な学習スピードを考えると、シンギュラリティの発生とはＡＧＩが生み出されるということとほぼ同義だと考えることはできないでしょうか。

①「タスク作成エージェント」がゴール達成に必要なタスクリストを生成する
②「タスク優先度付けエージェント」がタスクリストに実行の優先順位をつける
③ タスクリストの中から最初のタスクを取得し、「タスク実行エージェント」に渡してタスクを実行する
④ 実行結果と元々のゴールを「タスク作成エージェント」に渡し、新たなタスクを生成する
⑤ 以降、すべてのタスクが終了するまでステップ②から④までをループする

BabyAGIの処理の流れ

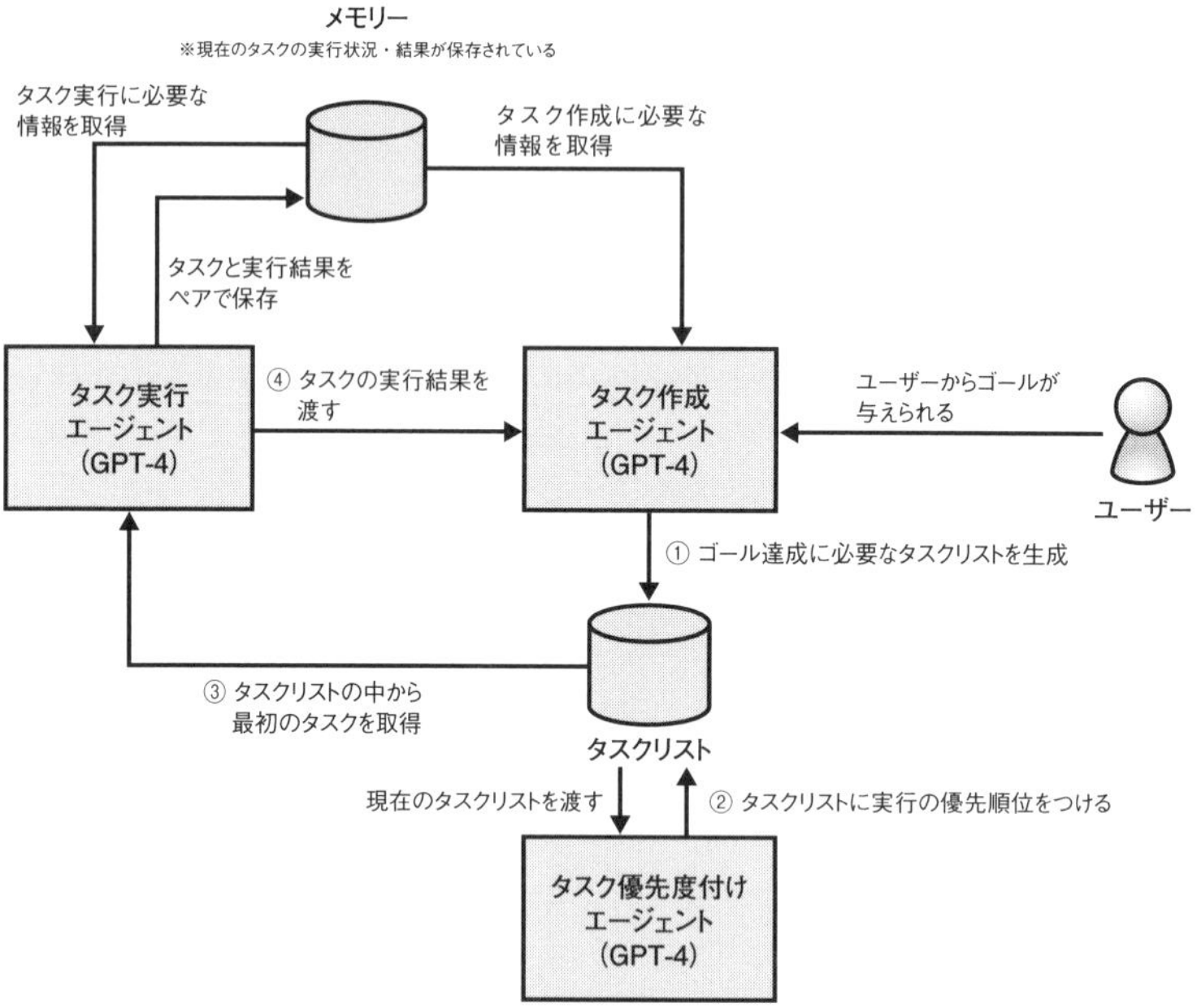

BabyAGIのフロー図

ChatGPTを生み出したOpenAIの最終的な目標もAGIを生み出すことであり、マイクロソフトによるGPT-4に関する評価論文では「(OpenAIの開発したGPT-4は) 汎用人工知能の初期バージョンである可能性がある」と評価されていました。他にもDeepMindやAnthropicといった企業が、AGIの実現に向けて研究開発を進めています。

このような文脈を踏まえると、頭にBabyと付いているとはいえ、その名称に「AGI」が入っていることのインパクトは計り知れません。しかしAIエージェントの面白さは、私たちがAGIと呼ぶ人工知能へ求めることに近いものを作り出せるかもしれないという可能性にあります。BabyAGIはその1つの可能性として、私たちに提示されているものなのかもしれません。

当初は短いソースコードでシンプルな設計から出発したBabyAGIですが、その後も改良が続いています。BabyBeeAGI、BabyCatAGI、BabyDeerAGI、そしてBabyElfAGIという名前で次々と改良バージョンがリリースされ、2023年11月現在の最新バージョンはBabyFoxAGIとなっています。

初期バージョンのBabyAGIとの大きな違いは、タスクを実行する上でAIエージェントが様々なツール (BabyAGIでは「スキル」と呼ぶ) を利用できるようになったことです。例えばウェブ検索、画像の生成、ファイル検索、海外のノーコードサービスAirtableへのクエリ実行といったプログラムを実行できるようになっています。BabyElfAGIの時点では、このようなツールそのものをAIエージェントによって生成できるようになっており、利用すれば利用するほどプログラムが自己成長を遂げるような仕組みがすでに実現されています。

最新バージョンのBabyFoxAGIの大きな特徴は、FOXYメソッド (Final Output eXamination from

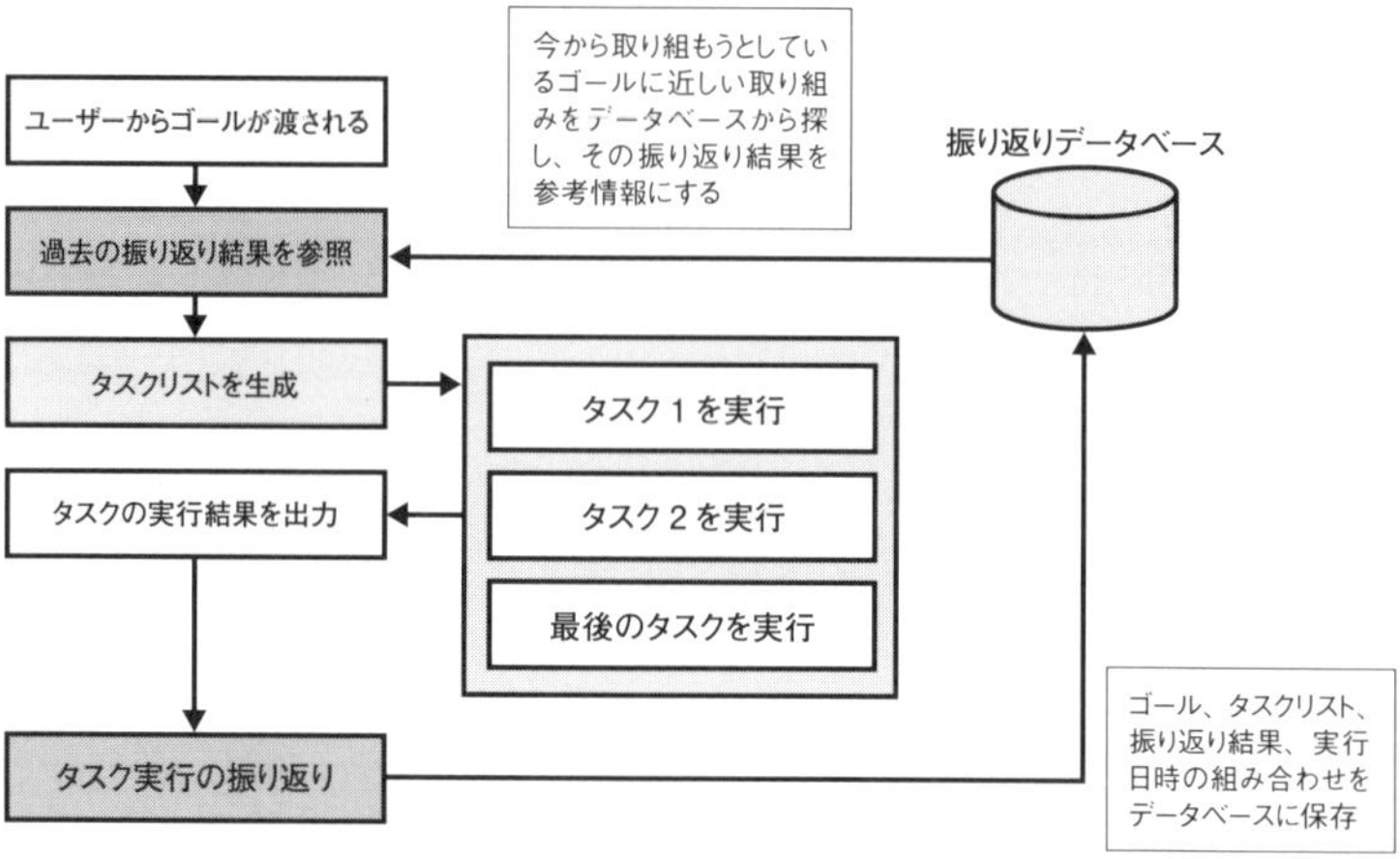

今から取り組もうとしているゴールに近しい取り組みをデータベースから探し、その振り返り結果を参考情報にする
ユーザーからゴールが渡される
過去の振り返り結果を参照
振り返りデータベース
タスクリストを生成
タスク１を実行
タスク２を実行
最後のタスクを実行
タスクの実行結果を出力
タスク実行の振り返り
ゴール、タスクリスト、振り返り結果、実行日時の組み合わせをデータベースに保存

FOXYメソッドのイメージ

"Yesterday"）と呼ばれる自己改善機構です。

ＦＯＸＹメソッドでは最終的なアウトプットを出力した後に振り返りを行い、振り返りから生み出された今後の改善点をデータベースに保存しておくことで、次にタスクリストを作成する際により良いものを生み出すための指針にします。この仕組みによって、タスクを実行すればするほど改善のためのデータベースが充実していき、ＡＩエージェントとして自己成長を遂げられるようになっています。

ビジネスへのＡＩエージェント活用においては、この自己改善のサイクルに、独自のノウハウをどれだけ高速に詰め込むことができるかがカギを握ると思われます。

複数のＡＩエージェントによる社会シミュレーション「Generative Agents」

ここまでの例はＡＩエージェント単体の話が中心でしたが、複数のＡＩエージェント同士の組み合わせによる創発的協働についても研究が進んでいます。

２０２３年４月に発表された「Generative Agents: Interactive Simulacra of Human Behavior」（日本語訳：「Generative Agents：人間行動の対話型シミュレーション」）という論文で伝えられたのは、**ＡＩエージェント同士が創発的に協働し合うことのできる可能性が示された**という検証成果でした。

Generative Agentsでは、25人のＡＩエージェントをスモールビル（Smallville）と呼ばれる仮想的な町に住まわせることにより検証を行っています。25人のＡＩエージェントはそれぞれが初期の記憶を持っており、最初の段階では初期の記憶に従って行動します。

例えば、25人のうちの１人であるジョン・リンの初期の記憶は、以下のように定義されています。

ジョン・リンの初期の記憶

> ジョン・リンはウィロー・マーケット&ファーマシーの店員で、人助けが大好きだ。ジョン・リンは大学教授の妻メイ・リン、音楽理論を学ぶ学生の息子エディ・リンと3人暮らし。ジョン・

リンは隣人の山本百合子をよく知っている。ジョン・リンは隣人のタマラ・テイラーとカルメン・オルティスを知っているが、会ったことはない。ジョン・リンとトム・モレノはウィローズ・マーケット・アンド・ファーマシーの同僚である。ジョン・リンとトム・モレノは友人で、一緒に地元の政治について話し合うのが好きである。ジョン・リンはモレノ一家（夫のトム・モレノと妻のジェーン・モレノ）を多少知っている。

このように、ジョン・リンというAIエージェントには初期の記憶として、ウィロー・マーケット&ファーマシーという薬局の店員であり、人助けが大好きであるという設定が与えられました。ジョンはこの設定に従って一日をスタートします。

ジョン・リンの1日のストーリー

ジョンは午前6時頃に目が覚めると、まず歯磨き、シャワー、朝食などといった朝の習慣をこなす。午前8時に息子のエディが飛び起きると、ジョンはエディに声をかける。
ジョン「おはよう、エディ。よく眠れたかい？」
エディ「おはよう、父さん。うん、よく眠れたよ」

ジョン「それはよかった。今日は何をしてるの？」
エディ「授業のために新しい作曲をしているんだ。締め切りが今週だから、早く仕上げたいんだ。
　でも、とても楽しいよ！」
ジョン「それはいいね！」

　忙しなくエディが出かけた直後、妻のメイが起きてくる。するとメイがジョンに息子のことを尋ねる。

メイ　「エディはもう学校に行ったの？」
ジョン「うん、彼は今出かけたよ。彼は授業で作曲をしているんだ」
メイ　「それは素晴らしいね！　詳しく教えて！」
ジョン「彼はとても楽しんでいると思うよ。すごく楽しいって言っていたし」
メイ　「それはすごいね！　彼を誇りに思うわ」

　会話を終え、メイとジョンは荷物をまとめる。そしてジョンは午前9時までにウィロー・マーケット&ファーマシーの薬局カウンターを開けるのだった。

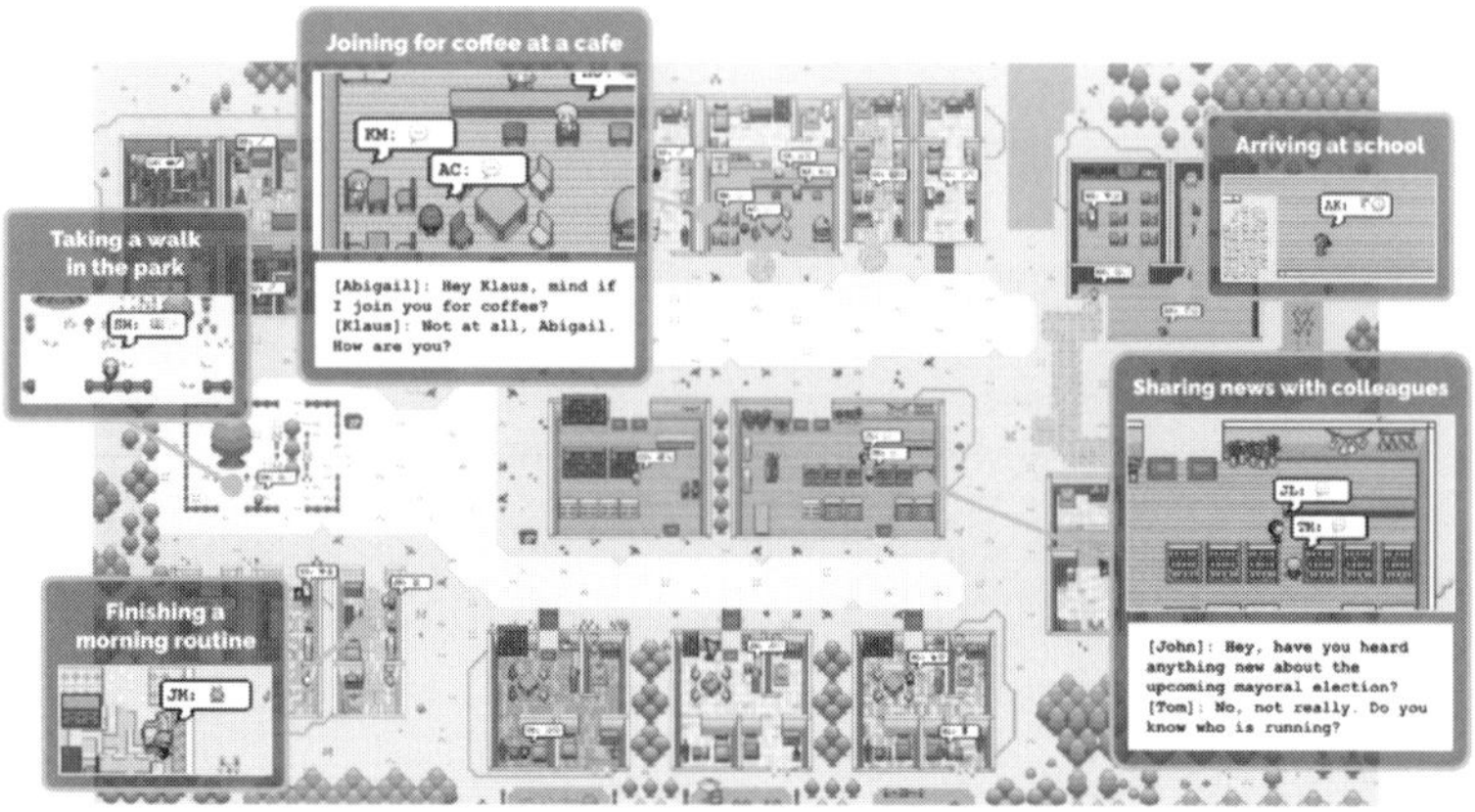

スモールビルのイメージ

※「Generative Agents: Interactive Simulacra of Human Behavior」(https://arxiv.org/abs/2304.03442) より引用

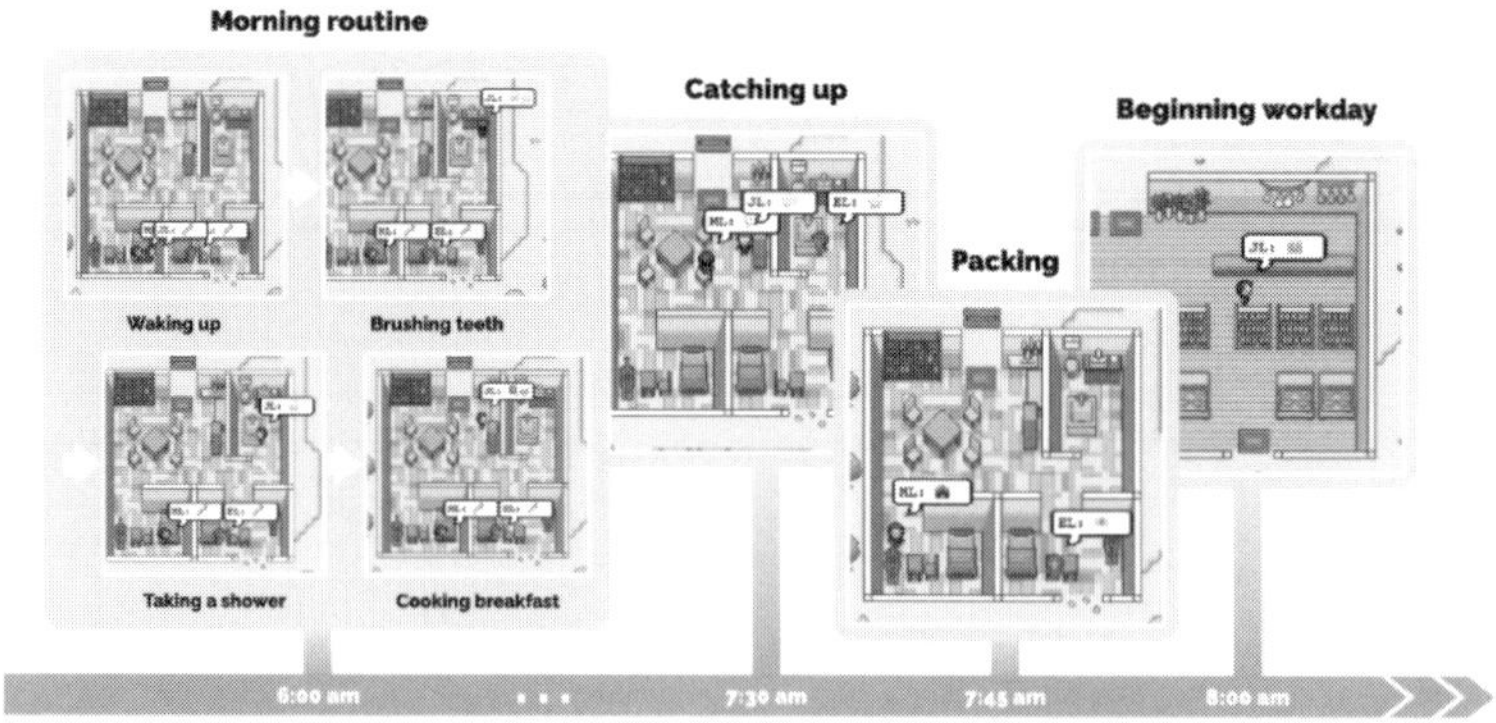

ジョン・リンの一日

※「Generative Agents: Interactive Simulacra of Human Behavior」(https://arxiv.org/abs/2304.03442) より引用

ここで登場したジョン・リンの家族、エディやメイにもそれぞれ初期の記憶が与えられています。**それぞれが初期の記憶に基づいて行動を開始し、相互に作用し合うことによって、この一連のストーリーが創発的に紡がれたのです。**

さらに他の事例としては、住民が自発的に他の住民をパーティーに誘ったり、パーティー当日のためにカフェの飾り付けを行ったり、当日には数人の住民が集まりパーティーを楽しんだりする姿も観察されました。

この検証において住民に与えられているのは初期の記憶だけであり、このような社会的行動はすべてＡＩエージェントによって創発的に行われたものです。一方で大規模言語モデルには一定のバイアスが含まれていることが確認されており、初期の記憶しか与えていないものの、ＡＩエージェントがこうしたバイアスを反映して行動している可能性があることも指摘されています。

AIエージェントが経営するソフトウェア開発会社「ChatDev」

さらに興味深い事例として、２０２３年７月に発表された「ChatDev」があります。これは**AIエージェント同士の協働によって架空のソフトウェア開発会社を作ってしまおうという試み**です。

Generative AgentsはＡＩエージェント同士の協働によって何が起こるのかという社会シミュレー

ションがテーマでしたが、ChatDevは協働によって1つの成果物を作り上げる仕組みを作ることがテーマであることが大きな違いです。ビジネスの観点では、こちらの事例の方が興味深いのではないでしょうか。

この架空のソフトウェア開発会社は、最高経営責任者（CEO）、最高技術責任者（CTO）、プログラマー、テスターなど、様々な役割を持つAIエージェントによって運営されます。組織は「プログラミングを通じてデジタル世界に革命を起こす」というミッションで団結しており、各AIエージェントは個人で行動するのではなく、設計、コーディング、テスト、ドキュメント作成などのタスクを必ず複数人による共同作業によって遂行していきます。

ChatDevを動かす仕組みの詳細は、「Communicative Agents for Software Development」（日本語訳：「ソフトウェア開発のためのコミュニケーション可能なエージェント」）という論文で公開されています。この論文によると、**ChatDevはソフトウェア開発のプロセス全体を7分以内で完了でき、大規模言語モデルによる思考プロセスを実行するためのOpenAIへのAPI使用料は1ドル未満しかかからなかった**と報告されています。

より具体的には、70件のユーザー要件に応じてChatDevにより生成されたすべてのソフトウェアを分析したところ、ソフトウェアの製造時間は平均約410秒で、その製造コストは約0.3ドルだったと報告されています。また、この製造時間の間に行われたAIエージェント同士のソースコードレビューでは、約20種類のプログラム脆弱性が発見・修正され、さらにテスト工程においては10種類以上のバグが検出・修正されたとのことです。単にプログラムのソースコードを生成するだけではなく、

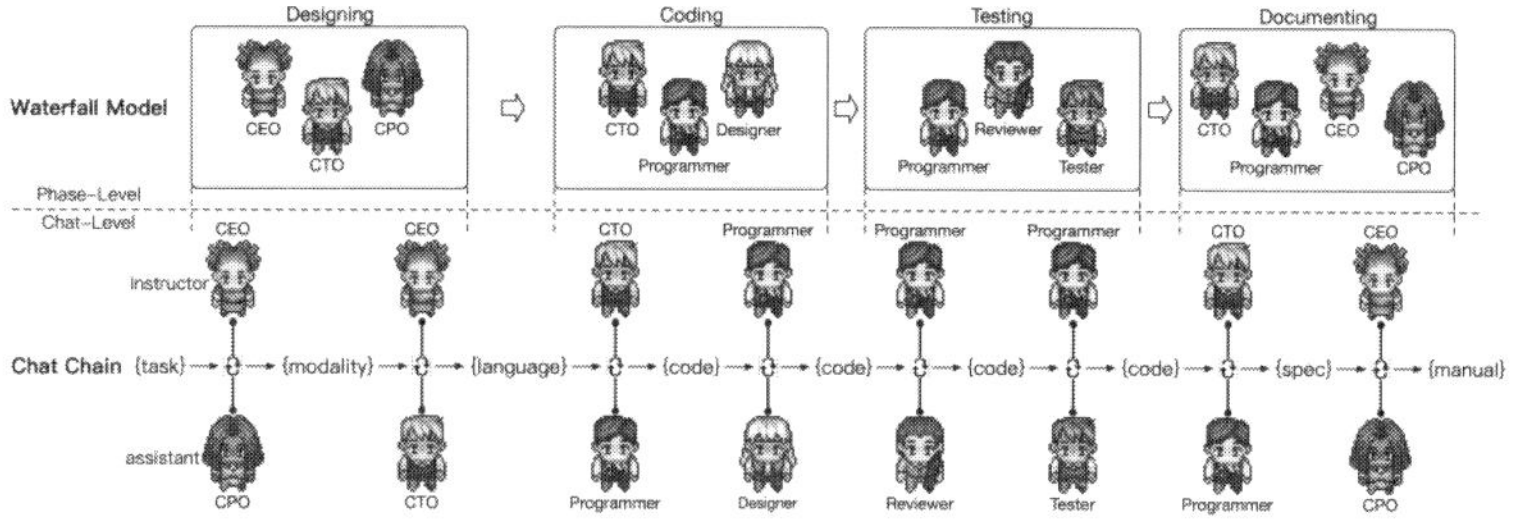

チャットチェーン：各ロールによる一連の作業の流れ

※「Communicative Agents for Software Development」（https://arxiv.org/pdf/2307.07924.pdf）より引用

ＡＩエージェント同士の協働により品質を高める工程が組み込まれていることが大きな特徴だといえるでしょう。

ChatDevではユーザー要件（ソフトウェア開発の依頼）を起点に、「設計」「コーディング」「テスト」「ドキュメント作成」という4つのフェーズを1フェーズずつ進めていく、ウォーターフォールモデルで開発を進行させます。

まず「設計」フェーズではユーザー要件を受け取った後に、ＣＥＯ（最高経営責任者）、ＣＰＯ（最高製品責任者）、ＣＴＯ（最高技術責任者）というロールが製品の概要について検討します。ＣＥＯとＣＰＯがどのような機能を持つソフトウェアにするべきかを検討し、それをインプットにＣＥＯとＣＴＯがどのような技術でそのソフトウェアを開発するべきかを検討するのです。

ChatDevでは、この一連の作業の流れをチャットチェーンと呼んでいます。一つひとつの作業、例えばＣＥＯとＣＰＯによる要件定義では、ＣＥＯがインストラクターに、ＣＰＯがアシスタントになります。インストラクターの指示に対して、アシスタントは適切な解決策を提示し、実行可能性について議論を行います。複数回の対話を通じて双方が合意に達すると、タスクが完了したと判断され、次の作業に進むことができます。

次に「コーディング」フェーズでは、「設計」フェーズで定義された要件定義ならびに技術要件に従って、CTO、プログラマー、アートデザイナーが協働して作業を行います。このフェーズではCTOがインストラクターとして指示を行い、プログラマーとアートデザイナーがアシスタントとして解決策の提示、ならびに具体的な作業を行います。

アートデザイナーの役割はユーザーフレンドリーなGUI（グラフィカル・ユーザー・インターフェース）を提案し、テキストから画像に変換するツールを使用して視覚的に魅力的なグラフィックスを作成することです。またプログラマーの役割は、Pythonのようなオブジェクト指向言語を利用して、実際に動くコードを書き上げることです。このフェーズでは実際の成果物が作成されることになります。

「テスト」フェーズでは作成された成果物が正常に動くことを確認します。このフェーズではプログラマー、レビュアー、テスターが参加し、ソースコードレビューとシステムテストを行います。レビュアーとプログラマーによるソースコードレビューによってソースコードに存在する潜在的な問題を排除した後、テスターとプログラマーによるシステムテストによってソフトウェア内のバグが取り除かれます。システムテストではテスターがソフトウェアを実行し、バグを分析し、修正を提案し、プログラマーに指示を出します。この反復プロセスは、検出されているバグが排除され、システムが正常に動作しているとみなされるまで続けられます。

最後の「ドキュメント作成」フェーズでは完成したソフトウェアを元に、ＣＥＯ、ＣＰＯ、ＣＴＯ、プログラマーが協力して、ソフトウェア動作環境構築のための資料と、ユーザーマニュアルを作成します。このフェーズまで完了すると、ソフトウェアはユーザーの手元に納品されることになります。

この実験的な試みが示す可能性は、私たちが長年にわたり蓄積してきているビジネスにおける協働のノウハウがAIエージェントの世界にも転用できるのではないか、ということです。単なる人間のサーバントとしてＡＩエージェントを位置付けるのではなく、自己成長する組織体としてＡＩエージェントを設計することによって、人間とＡＩの協働の形は大きく変化していくことになりそうです。

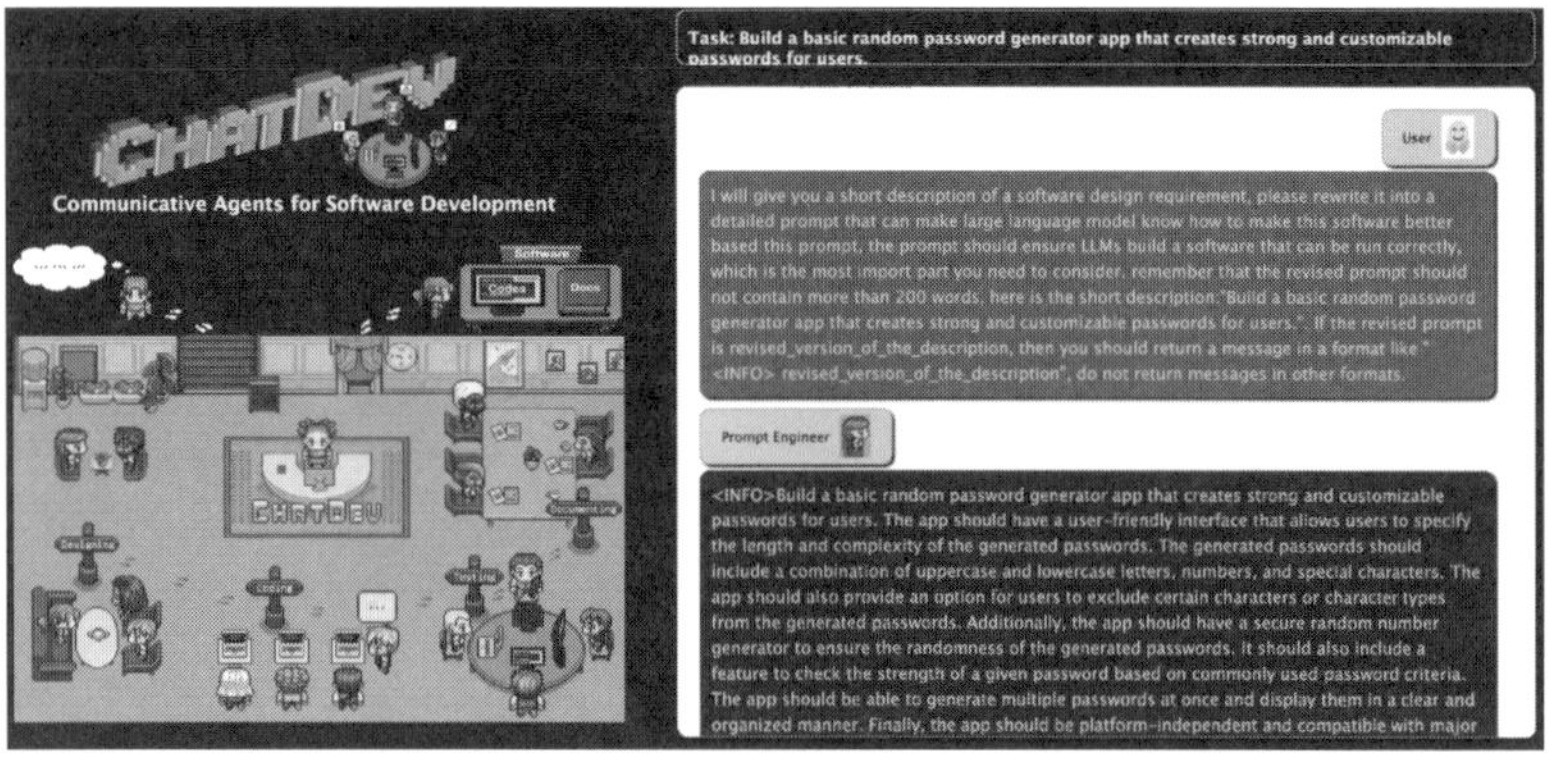

ユーザーがパスワードジェネレーターの開発を依頼している

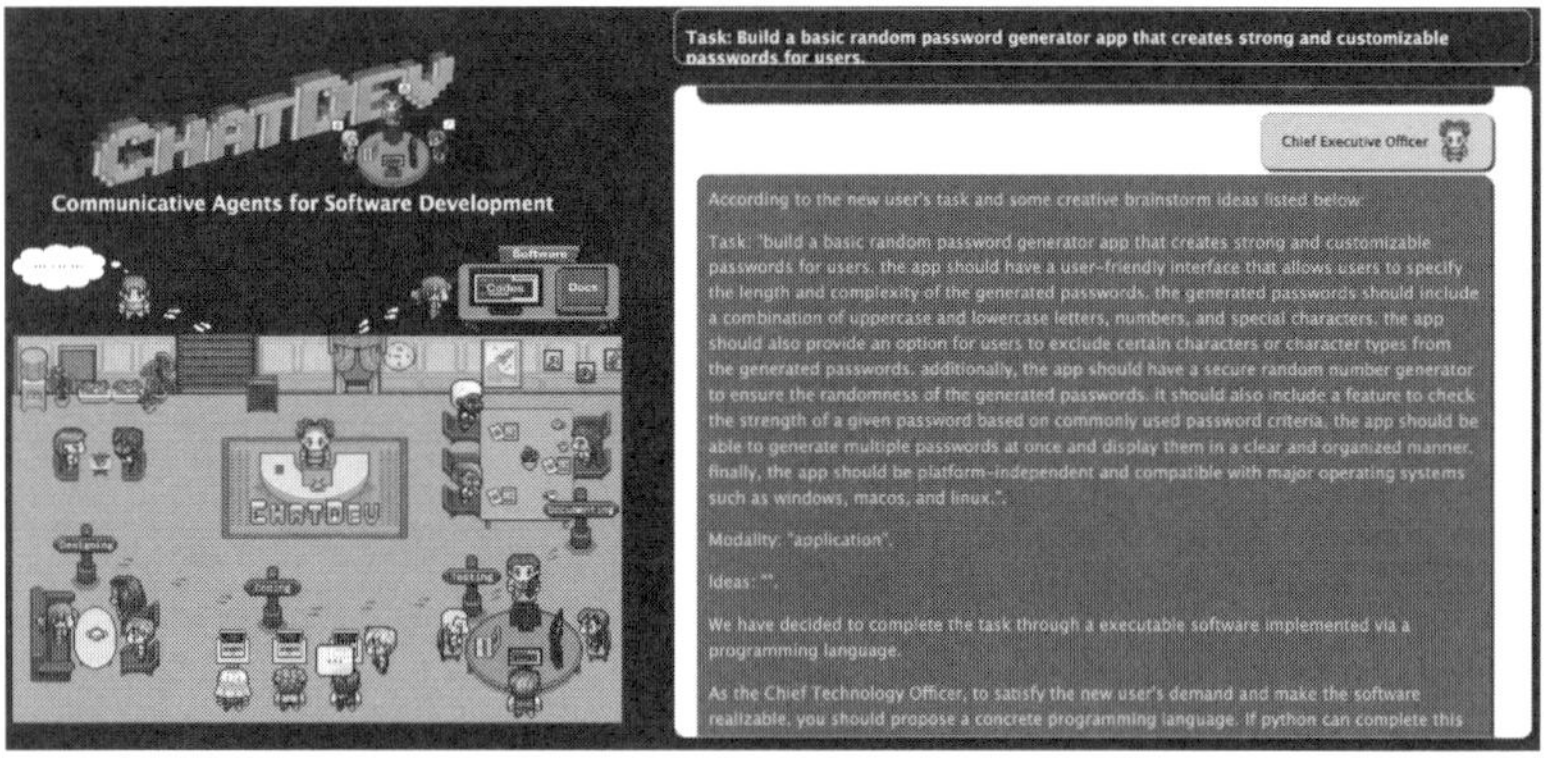

依頼を受けてCEOが要件定義を行う

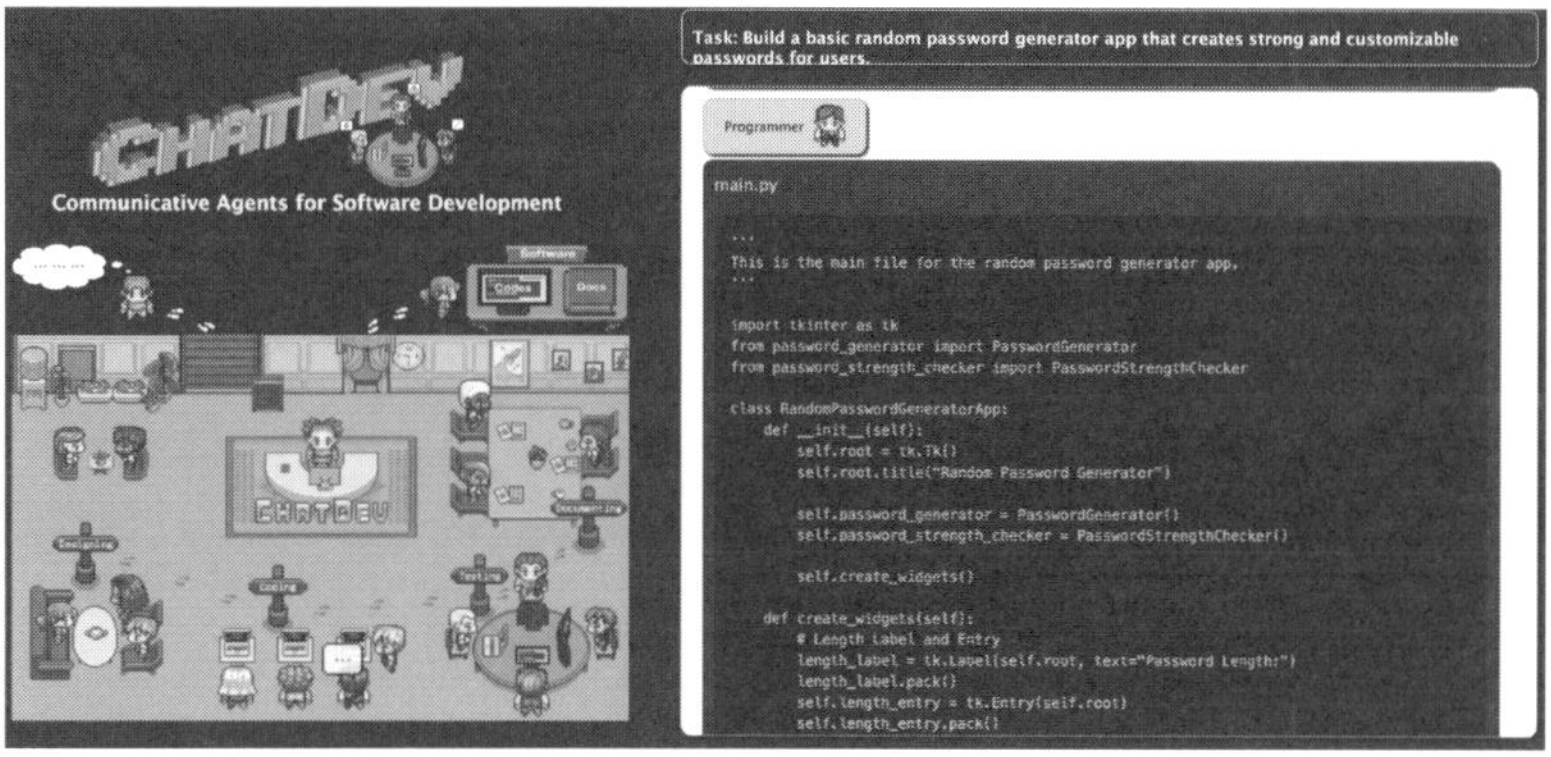

開発が進み、プログラマーがソースコードを生成する

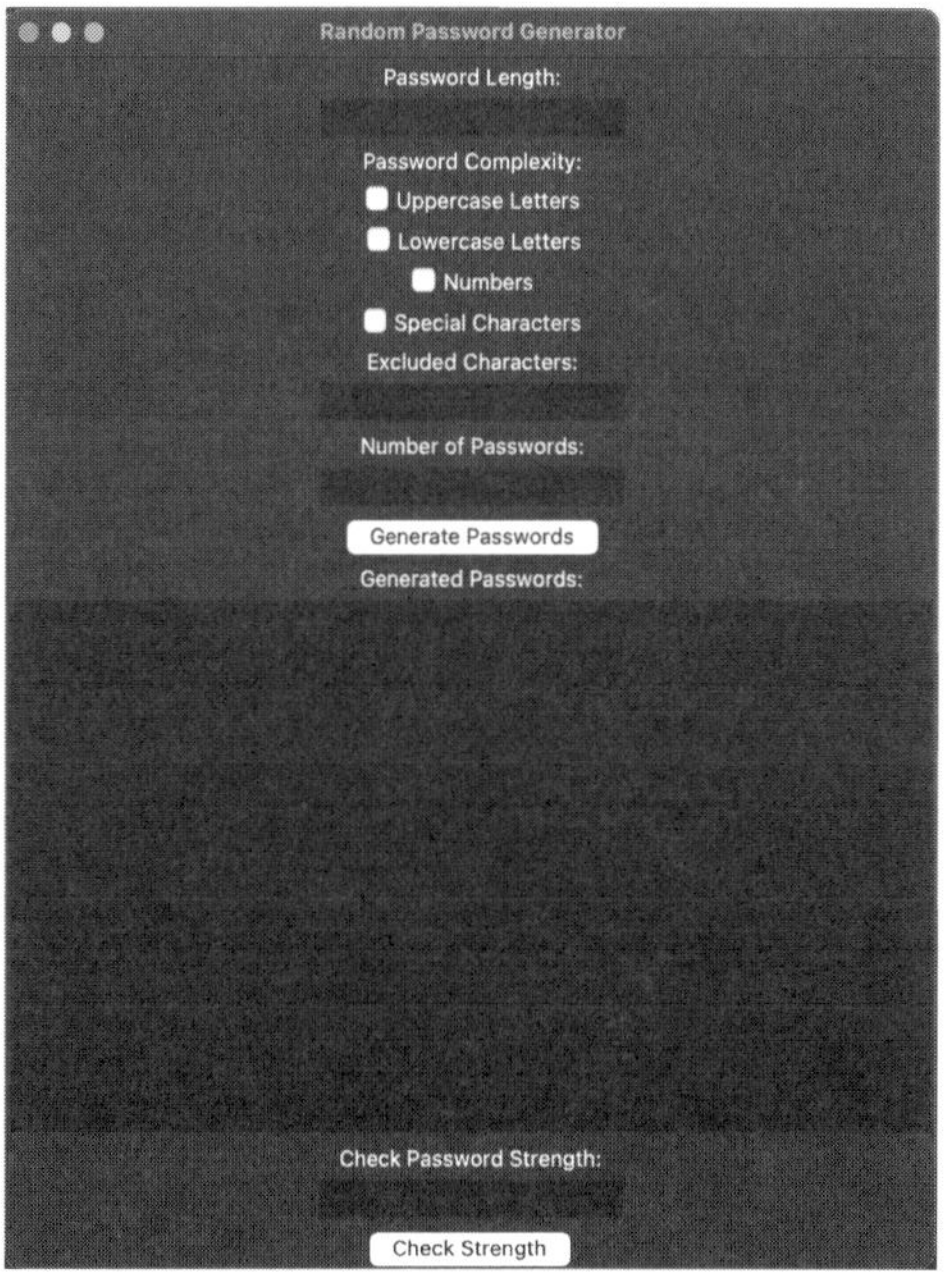

最終的に生成されたパスワードジェネータアプリ

まとめ

- チャット型AIの代表であるChatGPTは簡単に利用できる反面、複雑な要望を実現するには専門的な知識が必要になる。プロンプト作成のための負担が課題。
- AIエージェントは、状況に適応しながら目標達成のために自律的に振る舞うシステム。汎用的な知能を持つ大規模言語モデルを活用することで、特別な学習なしに高度なAIエージェントを実現できる可能性がある。
- 2023年3月に登場したAutoGPTは、X（旧Twitter）における「AutoGPTを使ってみた」事例によってAIエージェントブームの火付け役となった。
- 2023年4月に登場したBabyAGIは、コンパクトなソースコードながらも高度な処理をこなすことで注目を集め、現在も継続的にアップデートが行われている。
- AIエージェントを用いた社会シミュレーションのGenerative Agentsでは、AIエージェント同士の創発的な社会的行動が観察された。
- AIエージェントによるソフトウェア開発を実証する試みであるChatDevでは、AIエージェントがチームとなってソフトウェア開発を推進できることが示された。

第3章

AIエージェントの仕組み

本章ではAIエージェントの技術的な仕組みについて解説します。AIエージェントの仕組みについて未だ決まった形はありませんが、数多くのAIエージェントを対象に、共通する構造について調査した論文の内容をもとに解説したいと思います。ビジネス書としてはかなり突っ込んだ内容まで足を踏み入れていますが、AIエージェントへの理解のみならず、実はChatGPTを活用する上でも役立つ知識です。そのため、AIを日常生活で上手く活用するという観点でも読み進めていただけると幸いです。

AIエージェントを構成する4つの要素

「A Survey of Large Language Model based Autonomous Agents」（日本語訳：「大規模言語モデルをベースとした自律エージェントに関する調査」）という論文では、多くのAIエージェントは**「個性（Profile）」「記憶（Memory）」「計画（Planning）」「行動（Action）」という4つの要素が相互に作用し合うことによって動作する**と整理されています。それぞれの要素の詳細に入る前に、まずは概要について理解していきましょう。この4つの要素は、私たち人間の振る舞いに例えると非常に理解しやすいです。

個性（Profile）

「個性（Profile）」は、私たちの年齢・性別・職業などといった基本情報や、性格・社会的な立場を表します。前の章で例に挙げたChatDev内のAIエージェントで言えば（»63ページ参照）、CEOやCTOといった役割が「個性（Profile）」にあたります。

「個性（Profile）」を定義するメリットはいくつかありますが、最も大きなメリットはタスク実行時の役割が明確になることです。例えば、データ分析であればデータサイエンティストに特化したAIエージェントに任せる、といった具合です。ChatGPTを利用しているときでも「あなたは優秀なデー

Software Design も電子版で読める!

電子版定期購読がお得に楽しめる!

くわしくは、
「**Gihyo Digital Publishing**」
のトップページをご覧ください。

電子書籍をプレゼントしよう!

Gihyo Digital Publishing でお買い求めいただける特定の商品と引き替えが可能な、ギフトコードをご購入いただけるようになりました。おすすめの電子書籍や電子雑誌を贈ってみませんか?

こんなシーンで…

- ご入学のお祝いに
- 新社会人への贈り物に
- イベントやコンテストのプレゼントに ………

◉**ギフトコードとは?** Gihyo Digital Publishing で販売している商品と引き替えできるクーポンコードです。コードと商品は一対一で結びつけられています。

くわしい**ご利用方法**は、「**Gihyo Digital Publishing**」をご覧ください。

ソフトのインストールが必要となります。
印刷を行うことができます。法人・学校での一括購入においても、利用者1人につき1アカウントが必要となり、

他人への譲渡、共有はすべて著作権法および規約違反です。

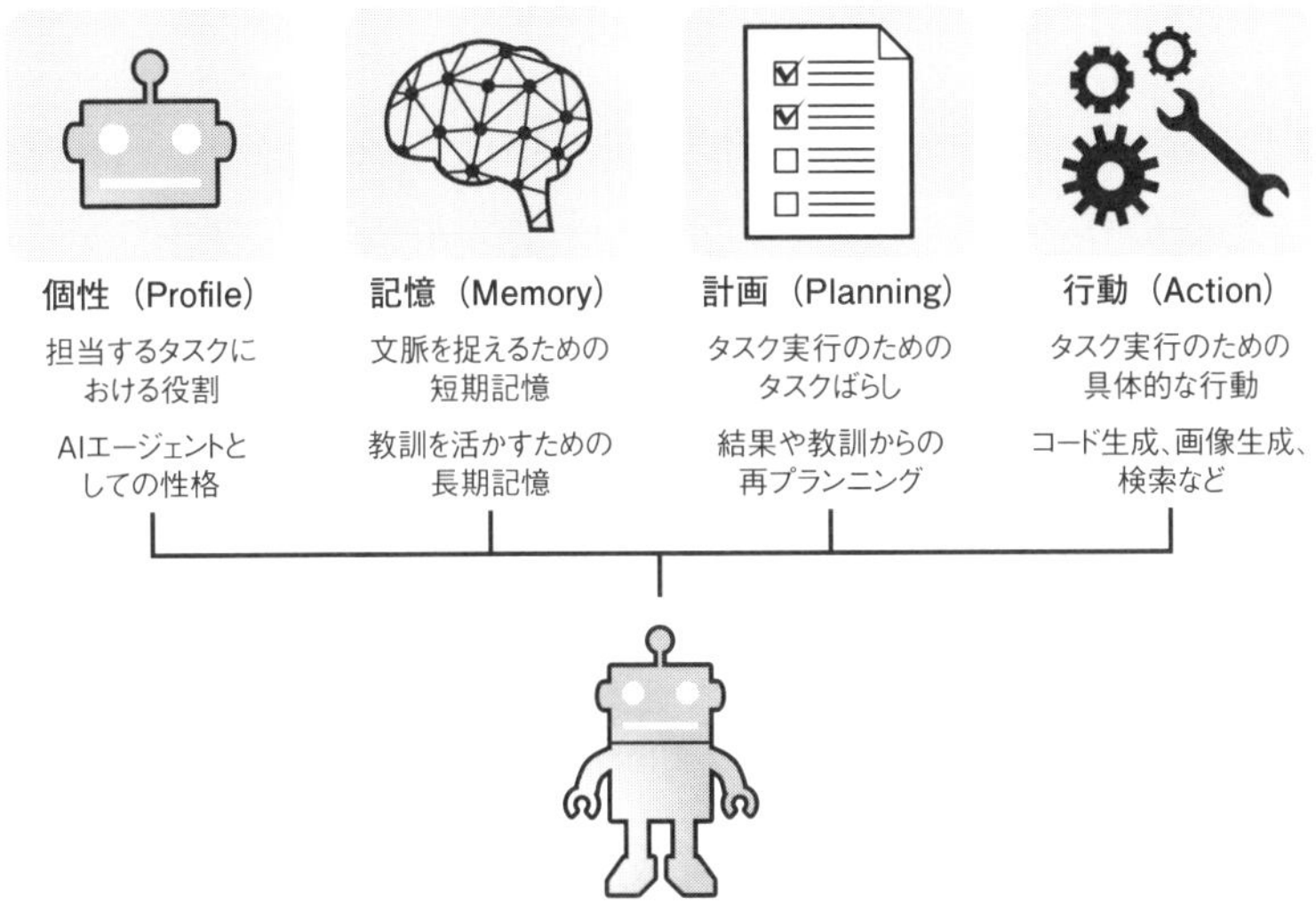
個性（Profile）
担当するタスクにおける役割
AIエージェントとしての性格
記憶（Memory）
文脈を捉えるための短期記憶
教訓を活かすための長期記憶
計画（Planning）
タスク実行のためのタスクばらし
結果や教訓からの再プランニング
行動（Action）
タスク実行のための具体的な行動
コード生成、画像生成、検索など

AIエージェントを構成する4つの要素

タサイエンティストです」といった具合にプロンプトで役割を与えると、その役割として一貫した行動を取ってくれることによって、出力される文章の品質が上がることが知られていますが、同じような効果があると言えるでしょう。

記憶（Memory）

次に**「記憶（Memory）」は、読んで字のごとくAIエージェントの記憶を司る要素です。**私たちに記憶する能力がなかったとしたら、ぞっとしますよね。AIエージェントにも、タスクを実行していくには「記憶（Memory）」の要素が必要になります。

しかし、コンピューターがデータを記憶しておくことなんて、ある意味当たり前すぎて、あえて取り上げる理由がわからないかもしれません。私たちが普段利用しているコンピューターは常に大量のデータを保存しており、ファイル検索といった技術により、いつでも必要なデータを取り出すことができます。なぜ殊更に「記憶（Memory）」の仕組みについて考える必要があるのでしょうか？

第一の理由は、AIエージェントのコアとして利用している大規模言語モデルで一度に扱えるデータ量には制限があるためです。

ChatGPTを利用している際に、同じチャット上で延々と会話を続けていると、途中で話したはずの内容をAIが忘れてしまっているような振る舞いに遭遇したことはないでしょうか。これも大規模言語モデルが一度に扱えるデータ量に制限があるために発生する現象です。

大規模言語モデルでは、トークンと呼ばれる単位でデータ量を計算します。英語では1単語あたり1トークン、日本語では1文字あたり大体1～2トークン程度という計算になります。ChatGPTの内部で利用されているGPT-3.5というモデルだと、一度に扱えるトークン数は4096トークンなので、日本語の文字数に換算すると大体3000文字程度になります。結構短いですよね。GPT-4でも一度に扱えるのは8192トークンのため、大体6000文字程度になります。さらに大量のトークンを扱えるGPT-3.5-16k（最大16384トークン）や、GPT-4-32k（最大32768トークン）といったモデルもありますが、いずれにせよ一度に扱えるトークン数に制限があることには変わりがありません。

大規模言語モデルを利用して推論を行う場合は、その推論を行うにあたって必要な記憶の情報も含めて、プロンプトを最大トークン数以内に抑える必要があります。そのため、推論を行う際に採用する記憶の情報は取捨選択する必要があるのです。

第二の理由は、その記憶が短期的な記憶なのか長期的な記憶なのかの区別がつかないと、今起こっ

ているのかことなのか過去の話だったのかについての文脈判断を行うことが、AIエージェントにとっては難しくなってしまうためです。今起こっていることなのか、過去に起こったことなのかの判断がつかないとなると、今必要なことをまったく無視をしてしまって意味のない行動をし始めるなんてこともありえてきます。大変ですよね。

短期的な記憶は、直近の認識を一時的に留めておくために利用します。短期的な記憶によって、AIエージェントは今起こっていることは何なのかを認識します。一方で長期的な記憶は、過去に起こった出来事の中で重要だと感じたことを抽象化して留めておくために利用します。これまで体験してきたあらゆる出来事から生じた記憶をそのまま利用するのでは、記憶容量がいくらあっても足りません。私たちも過去の失敗から学ぶ際は、失敗した詳細をそのまま記憶するのではなく、その経験から学んだ教訓を抽象化して記憶しておき、次に似たようなことが起こった際には抽象化された教訓を活用して同じ失敗が二度と起こらないようにしますよね。AIエージェントにも同じように、重要なことは抽象化して記憶の蓄積を行うことで、過去の教訓を活かせるようにする機構が備わっています。

このような理由から、AIエージェントにとって、「記憶（Memory）」をどのように実現するかは非常に重要な課題となっているのです。

計画（Planning）

次に「計画（Planning）」は、AIエージェントがタスクを達成するステップをどのように計画する

かを決定する要素です。これは、私たち人間で言うと、思考に位置付けられる要素です。タスクを分解することがいかに重要か、第1章で「タスクばらし」を例に挙げて述べた通り（19ページ参照）、品質の高い成果を上げるためには計画をどのように行うかが重要になります。

そもそも、大規模言語モデルはタスク分解に特化したモデルというわけではありません。その卓越した汎用的な思考能力によって、タスクの分解も可能になっているというだけです。そのため、より良い計画を行っていくためには一定の工夫が必要なのです。

行動（Action）

最後の「行動（Action）」は、AIエージェントが取ることのできる行動を表す要素です。私たち人間で例えると、身体を使って引き起こすことのできる行動のすべてだと言えます。AIエージェントもただ考えるだけではなく、外部の情報を検索して情報収集したり、必要な画像を作成するために画像生成AIを活用したり、ファイル解析に必要なプログラムコードを書いて実行したりといった具体的な行動の積み重ねによってタスクを達成します。

「行動（Action）」のバリエーションが多ければ多いほど、AIエージェントは多様な仕事に取り組めるということになります。「計画（Planning）」では、「行動（Action）」で使用できる手段を踏まえて、タスク達成のためのステップを計画します。

それぞれの要素はどのように相互作用するのか

章の冒頭で述べた通り、ここまでで概観してきた4つの要素の相互作用によってAIエージェントは動作しています。それでは具体的に、AIエージェントの動作はどのような相互作用によって生まれているのでしょうか。

「個性（Profile）」と「記憶（Memory）」の相互作用

1つは「個性（Profile）」と「記憶（Memory）」の相互作用です。「個性（Profile）」はAIエージェントの基本的な特性や役割を定義するものです。これは「記憶（Memory）」と相互に作用することによって、**どのような優先順位で体験した物事を記憶すればよいかを判断する材料になります。**

例えば、医療関連の業務に特化したAIエージェントがあるとしましょう。このAIエージェントは設定された「個性（Profile）」に基づいて、医療関連の情報（患者の症状、治療法、投薬の情報など）を優先的に「記憶（Memory）」に保存する動きをします。医療関連以外の情報で短期記憶が埋まると、目的に対して明らかにおかしな動作をするAIエージェントになってしまいますし、AIエージェントが重要だと感じた出来事を抽象化して保存する長期記憶のプロセスでも役割として誤った出来事が抽象化されて保存されてしまうことになるからです。

「記憶（Memory）」と「計画（Planning）」の相互作用

次に「記憶（Memory）」と「計画（Planning）」が挙げられます。「記憶（Memory）」には、ＡＩエージェントが過去に何を経験したのか、どのような行動が成功したのかなどの情報が保存されています。この情報は「計画（Planning）」を行う際に重要になってきます。

例えばカスタマーサービスを担うＡＩエージェントがあったとしましょう。このＡＩエージェントに期待することは、お客さまの属性と過去の経験を踏まえて最適な行動をとってくれることですよね。これは「記憶（Memory）」と組み合わせることで実現できます。**過去にどのような対応が顧客満足度を高めたのか、そしてその対応は目の前のお客さまに対しても有効かどうかをもとに、「計画（Planning）」を実行する**わけです。

「計画（Planning）」と「行動（Action）」の相互作用

「計画（Planning）」だけでは現実世界に何も変化は起きません。「計画（Planning）」の後に「行動（Action）」が必要なのは自然なことです。「計画（Planning）」では、ＡＩエージェントがどのような行動を取るべきかを決定します。

これは第1章で例に挙げた、GPT Researcherの行動を振り返ると理解がしやすくなります（≫22ページ参照）。例では、GPT Researcherに自動車業界の市場動向の調査を依頼しました。すると、GPT Researcherは調査のための計画を練り始めます。方針が決まると、次は具体的に実行可能な単位のタスクに分解していきます。**実行可能かどうかは、AIエージェントがどのような「行動（Action）」を取りうるかにかかっています。**そもそも「行動（Action）」として実行できないものをタスクとして分解しても、意味がないどころか実行が不可能だからです。実行可能な計画を策定するためにも、「計画（Planning）」と「行動（Action）」の相互作用は不可欠なのです。

「行動（Action）」と「個性（Profile）」の相互作用

最後は「行動（Action）」と「個性（Profile）」の相互作用です。**「行動（Action）」の結果を「個性（Profile）」にフィードバックすることによって、ユーザーにとってより使いやすい、パーソナライズされたAIエージェントに変化させていくことが可能になります。**

例えば、ユーザーの言語学習をサポートするAIエージェントについて考えてみましょう。ユーザーによって、言語学習の心地よい進め方は異なります。したがって、個別に最適なアプローチを提案する必要がありますが、この方針を握っているのはAIエージェントの「個性（Profile）」です。「個性（Profile）」に基づき、ユーザーに向けて「学習アプローチの提案」という「行動（Action）」を行い、その提案によってユーザーが取った行動をAIエージェントへのフィードバックとして受け取ります。このフィードバックから「個性（Profile）」を微調整することで、柔軟な動きをするＡＩエージェントを設計することが可能になるというわけです。

ここまで、4つの要素の相互作用について見てきました。「個性（Profile）」「記憶（Memory）」「計画（Planning）」「行動（Action）」の4つの要素は、いずれもＡＩエージェントを構成する上では欠かせない要素となっています。次は、1つずつの要素について、さらに詳しく見ていきましょう。

個性（Profile）：ＡＩエージェントのキャラ付け

「個性（Profile）」は、ＡＩエージェントがどのような役割を想定してタスクを実行するかを決定する要素です。役割が明確に決まっていないとＡＩエージェントの行動に一貫性がなくなってしまい、次にそのＡＩエージェントが何をするのか、私たちの目から想像がつかなくなってしまいます。

それでは具体的に、どのような情報を「個性（Profile）」の情報として定義していくのがよいのでしょうか。詳しく見ていきましょう。

個性を決める3つの観点：「属性」「性格」「社会的立場」

設定する情報は主に、「属性」「性格」「社会的立場」の3つに分類できます。すべてについて満遍なく設定する必要はないのですが、「個性（Profile）」をより詳細なものにしていく上での設定基準として役に立つでしょう。

●属性

「属性」には、年齢・性別・民族性・地理的な居住地といった、人口統計的な情報が該当します。

例えば、都市部に居住している25歳の男性と設定されたAIエージェントは、地方在住の60歳の女性として設定されたAIエージェントと比較して、異なる行動特性やバイアスを持つ可能性があります。また民族性にしても、日本人なのかインド人なのかではそれぞれの国に根付いている文化的な文脈が異なるため、AIエージェントとしての意思決定のフレームワークに影響を与える可能性が高いです。注意したいのは、この定義は大規模言語モデルが学習済みのデータによるバイアスに影響を受けることが前提になるため、一般論ではなく使用する大規模言語モデルに合わせた設定が必要だということです。

AIエージェントに属性を与える意義は、AIエージェント同士のコミュニケーションの成果に多様性をもたらすためです。企業における組織設計にも多様性が必要だと言われて久しいですが、その理由の1つとして消費活動を行う顧客そのものが多様化していることが挙げられます。チーム構成の多様性を軸に顧客のニーズを様々な角度から考えてアイデアを出すことが人間の事業活動においても重要であるように、AIエージェントも属性を多様化することで同様の効果を狙うことができます。

●性格

次に「性格」ですが、論文ではビッグファイブ理論での分類が紹介されています。ビッグファイブ理論とは、アメリカの心理学者ルイス・R・ゴールドバーグ氏が提唱した、個人の性格に関する学説です。ビッグファイブ理論によると、人の個性は5つの因子によって分類することができるとされており、順に**「開放性（Openness）」「誠実性（Conscientiousness）」「外向性（Extraversion）」「協調性（Agreeableness）」「神経症的傾向（Neuroticism）」**の5つの分類が紹介されています。この5つの因子の強弱が人それぞれによって異なるため、人の性格や振る舞いに違いが出る、というのがビッグファイブ理論の主張です。

この5つの因子は、AIエージェントが他のAIエージェントとどのように交流するかだけでなく、問題解決のアプローチやストレスに感じる出来事、目の前の機会への対処方法などにも影響します。例えば、内向的として設定されたAIエージェントは、コミュニケーションを活発にしながら仕事を進めるよりも、ある程度アウトプットが出揃ったところでフィードバックを求めるようなアプローチで仕事を進めるかも知れません。つまりこれはAIエージェントが、人間からのフィードバックをどの程度求める性格なのかを調整するパラメータとして作用します。

ここではビッグファイブ理論を紹介しましたが、性格特性を分類的に設定できる方法で、かつ大規模言語モデルが学習済みの手法であれば、他の理論を用いてももちろん大丈夫です。例えば、ユング心理学のタイプ論をベースとした、MBTI理論の活用も有効でしょう。ビジネスの現場でもMBTI理論によるタイプ分けをチームビルディングに活かす事例が増えてきているため、親しみのある方も多いかも知れません。MBTI理論はイザベル・ブリッグス・マイヤーズ氏とその母親であるキャサリン・クックス・ブリッグス氏の親子が開発した理論で、4つの尺度の組み合わせによる計16種類の分類によってその人の性格特性を表現します。

MBTI理論における4つの尺度は、それぞれ次のように表されます。

MBTI理論における4つの尺度

- 人々がエネルギーをどこから得るかを示す「外向型（E）／内向型（I）」
- 人々がどのように情報を収集するかを示す「感覚型（S）／直観型（N）」
- 人々がどのように意思決定を行うかを示す「思考型（T）／感情型（F）」
- 人々が外界に対してどのように反応するかを示す「判断型（J）／知覚型（P）」

この4つの尺度を組み合わせることによって、例えばINTJやESFPといった、計16種類の性格特性が定義されます。ＩＮＴＪであれば内向・直観・思考・判断の組み合わせなので、優れた分析力や論理的思考力を備え、高い集中力と継続力を持つ一方、社交的な環境での適応力が比較的低く、感情的な側面を無視しがちな傾向がある、といったように特性づけができるというわけです。

● 社会的立場

最後に「社会的立場」です。社会的立場は、そのＡＩエージェントが置かれた構造を表現するためのものです。構造主義という考え方では、社会・文化・言語・思考といった人間からもたらされる現象は、それぞれが置かれた構造によって形成され、制約されると考えます。この構造は目には見えない抽象的なもので、個々の要素が相互に関連し、全体を形成しています。**人間が自由意志によって言葉を発するのではなく、その人間が置かれた構造から言葉を発するのと同じように、AIエージェントもそのAIエージェントが置かれた構造にふさわしいように振る舞うのです。**

例えば、職業や組織での役割は、ビジネス上のＡＩエージェントの動作に大きく影響を与えます。ＡＩエージェント同士の協働の例として挙げた、ＡＩエージェントによるソフトウェア開発会社ChatDevの事例（≫63ページ参照）では、ＣＥＯやＣＴＯ、プログラマーやテスターといった明確な役割をＡＩエージェントそれぞれに与えることで、協働を実現していました。この例では、ＣＥＯはビジネスの立場、ＣＴＯは技術責任者の立場から言葉を発するように設定することで、ＡＩエージェントに一貫性のある発話をさせることができています。

「個性（Profile）」を定義づけるためのアプローチ

基本的には先ほどの3つの観点で、「個性（Profile）」を手作業で定義づけることになりますが、より多くのケースに対応させる方法として、**大規模言語モデルや実世界のデータセットを活用することで、多様な個性を生成する手法も提唱されています。**

例えば、ベースとなる何人かのAIエージェントについては手作業で作成しておき、そのバリエーションを大規模言語モデルによって生成するようなアプローチです。ChatDevの例で、同じプログラマーでも専門性の違いによって区別をつけたい場合があるとします。ユーザーが直接触れる部分（フロントエンド）が得意なプログラマーを用意したいといった場合や、ユーザーが直接触れない業務ロジックの分析や実装（バックエンド）が得意なプログラマーといったバリエーションを用意したい場合です。この場合はマルチに活躍できるようなベースとなるプログラマー像を手作業で作成した後に、大規模言語モデルでバリエーション別に「個性（Profile）」を生成することになります。

また、社会シミュレーションなどに適したアプローチとして、次のような手法もあります。まず、統計情報のような実データを用いて、年齢・性別・社会的属性などの分布を作成します。そして、作成した分布をもとに基本的な「個性（Profile）」を生成し、これに手作業で社会的役割や関係性を付け加えることによって、AIエージェント同士の社会構造を作り出します。SF的な発想ではありますが、成功している会社の社員の属性分布をもとにAIエージェント群を作成して動作させることで、その会社のような振る舞いをさせるといったことも将来的に可能かもしれません。

「個性（Profile）」のバリエーションをビジネスの意思決定に活用する

ここまでは、チームの一員として何らかの具体的な作業を行うことを期待されたものとしてＡＩエージェントを説明してきましたが、例えば新規事業をシミュレーションするような使い方も有効だと考えられます。

例えば、とある企業がエコフレンドリーなカフェの開業を考えているとしましょう。店舗はサステナブルでオーガニックな材料を使用し、環境保護に関する感度の高い消費者に向けてサービスを提供したいとします。

ただし、この時点では環境保護に関する感度の高い消費者に向けて、どのようなアプローチが有効なのかは不明確です。通常であれば、ターゲットとなりそうな消費者をセグメントに分けてインタビューをしていくといったアプローチになるかと思いますが、ここではＡＩエージェントを利用するアプローチを考えてみましょう。

例えばこのターゲットペルソナについて、年齢層・職業・性別といった要素でバリエーションを出してみます。具体的には次のような形です。この時点で、ChatGPTなどを用いてバリエーションを生成してみるのもよいかも知れません。

このように、「個性（Profile）」の観点を用いてペルソナを作成した上で、それぞれがエコフレンドエコ意識の高い若手女性会社員：
・年齢層：25〜35歳
・性別：女性
・職業：広告業界のマネージャー
・有機食品と環境保護に強く関心があり、価格よりも品質と環境への影響を重視する。

健康志向の中年男性教師：
・年齢層：45〜55歳
・性別：男性
・職業：中学校の教師
・健康的な飲食を重視し、自分と生徒の健康維持に興味がある。価格よりも品質と健康への影響を重視する。

ソーシャルイシューに敏感な女性大学生：
・年齢層：18〜24歳
・性別：女性
・職業：大学生（社会学専攻）
・環境保護と社会的な問題に深い関心があり、価格に敏感であるが、価値観に合った製品を選ぶ傾向がある。

健康と環境に配慮したライフスタイルを持つ主婦：
・年齢層：30〜40歳
・性別：女性
・職業：専業主婦
・家族の健康に配慮し、エコフレンドリーな製品を選びたいと考えている。

持続可能な消費を志す男性エンジニア：
・年齢層：35〜45歳
・性別：男性
・職業：エンジニア
・テクノロジーと持続可能性に興味があり、エコフレンドリーな製品やサービスを選ぶ傾向がある。

持続可能性に対する強いコミットメントを持つ女性環境活動家：
・年齢層：40〜50歳
・性別：女性

・職業：非営利環境保護団体の職員
・毎日の生活で環境への影響を最小限に抑えることにより、自身の個人的な価値観に対するコミットメントを示している。

ターゲットペルソナの例

リーなカフェに期待していることや、実際のメニューや価格帯を提示して具体的にどの商品にどんな理由で惹かれたかなどを、AIエージェントにヒアリングするわけです。有機食品を好む人物は高価格帯の商品を買いやすい、といった大規模言語モデル自体のバイアスが影響することは否定できませんが、まったく未知の事業に取り組もうとしたときの第一歩として活用してみるのは有効な手段ではないでしょうか。

記憶（Memory）：AIエージェントの頭の中

AIエージェントが現在の状況を理解して有効に振る舞うためにも、これまでの経験を活用して臨機応変に振る舞うためにも、「記憶（Memory）」はとても重要な要素になります。しかしこの要素をどのように設計するのが最適解なのかは、まだ研究の途上にあります。ここでは現段階でわかっていることをベースに、「記憶（Memory）」を考える上で重要なポイントについて解説します。

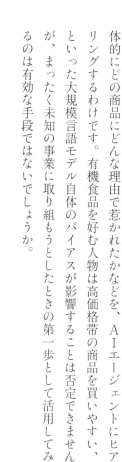

人間の記憶プロセスからのインスピレーション

ＡＩエージェントの「記憶（Memory）」の構造は、人間の記憶プロセスに関する認知科学の研究から得られた原理とメカニズムにインスピレーションを受けて作られています。

人間の記憶は一般に、知覚からの入力を記憶する感覚記憶から、一過性の情報を記憶する短期記憶、そして長期間にわたってこれまで得られた情報を統合する長期記憶へ、というような記録の流れを辿ります。

このメカニズムと同じように、**ＡＩエージェントの記憶も、短期記憶による一時的な記憶と、その記憶を長期に記憶するための長期記憶を持ちます。**それぞれ明示的に分けて管理されているケースもあれば、統一して管理されているケースもあり、これはＡＩエージェントのアプローチによって様々です。さらに特徴的なのは、短期／長期以外に、データベースによる記憶もあわせて活用されていることです。

それでは、それぞれの記憶手法について見ていきましょう。

ＡＩエージェントに文脈を与える短期記憶

私たちは今起こっている出来事をつぶさに観察することによって、これからどのような流れになっていくのか、その上で自分たちが取るべき行動は何かを判断しています。このような出来事の流れを文脈と言ったりしますが、**AIエージェントも私たちと同様に、その場その場の文脈にあった行動をとることが望まれています。**このようなAIエージェントの文脈判断のために、重要な役割を果たすのが短期記憶です。

具体例として、前の章でも紹介した複数のAIエージェントによる社会シミュレーションであるGenerative Agents（59ページ参照）の記憶機構を挙げましょう。

Generative Agentsでは、25人のAIエージェントが小さな町で暮らしています。1人1人のAIエージェントは全体の動きを把握しているわけではなく、あくまで1人1人に見える範囲の情報を受け取りながら、自分の周りで起こっていることを把握します。これをGenerative Agentsでは「観察(Observation)」と呼んでおり、例えば「パーティーの準備のために椅子を並べる」「コーヒーを飲みながらテスト勉強をする」といった、自らがとった行動や周囲のAIエージェントによって行われていると認識した行動を、観察をもとに逐一記憶していきます。

シンプルに考えると、短期記憶の機能としては、この記録から直近の数件の観察結果を抜き出すというロジックでも良さそうです。しかしこのロジックでは、明らかに問題が起きてしまいます。例えば、「学生がカフェでクラスメイトと、化学のテストのために何を勉強するかを話し合っている」といったシチュエーションがあったときに、直近に観察した記憶が「カフェでパーティーの準備のために椅子を並べている」だとしましょう。AIエージェントが次の行動を起こすために思考しているときに、単純に直近に起こった出来事を短期記憶から抽出してしまうと、テスト勉強の話をしているのに突然パーティーの話題を振るといった空気の読めない行動を引き起こす可能性があります。「個性(Profile)」で空気が読めないキャラクターとして定義されているならまだしもですが、通常はこのままでは困ります。

そこでGenerative Agentsで用いられているのが、**記憶の重み付け**です。記憶を取り出す際に、記憶した出来事に対して「最新性(recency)」「重要度(importance)」「関連性(relevance)」という3つの指標で重み付けをします。

- **最新性(recency)**

「最新性(recency)」は、直近で記憶としてアクセスされた出来事に高いスコアを割り当てます。数分前の出来事や今朝あったことなど、時間軸として最近あったことについてAIエージェントが気にする確率を高めます。このシミュレーションでは、最後に記憶から出来事が取り出された瞬間から、次第にその出来事の記憶が減衰していくようにプログラムされています。

- **重要度(importance)**

「重要度(importance)」は、エージェントが重要だと考える出来事に高いスコアを割り当てます。例えば私たちも、日常の生活の中の出来事にはあまり強い関心を払いません。今朝食べたご飯の内容についても、思い出そうと思えば思い出せるけれども、絶対に覚えておきたいかどうかで言えば、忘れても構わない情報でしょう。しかし、急にパートナーから別れを告げられるといった人生に影響するような出来事の場合、私たちの意志は別として、脳は重要な出来事として記憶しようとします。重要度の役割もまったく同じで、日常的な記憶と人生に影響するような記憶を区別するためにスコアリングを行います。

● 関連性（relevance）

「関連性（relevance）」は、現在の状況に関連する出来事に高いスコアを割り当てます。例えば先ほどの例のように、学生がクラスメイトと化学のテストのために何を勉強するかを話しているというシチュエーションがあったときに、まったく関係のないパーティーの話を持ち出してしまうのでは会話の文脈が混乱してしまいます。ＡＩエージェントが現在の文脈にあった行動を取るように、記憶の関連性も考慮する必要があります。

記憶に対してこのような重み付けを行うことで、より文脈にあった記憶を取り出すことが可能になるのです。

さらに高度な文脈判断性能を求められるＡＩエージェントの例として、２０２３年3月のChatGPT APIの公開とともにムーブメントが起こっている「AITuber」が挙げられます。AITuberは、アニメキャラクターを用いたバーチャルライバーであるVTuberをモチーフとするＡＩエージェントであり、VTuberのようにゲームのプレイ配信や、視聴者のチャットに対する音声付きでのリアルタイムな返信ができることで注目を集めています。

▲「マインクラフト初心者のAIがのんびりサバイバル生活【生ゲーム配信するAI】【AIVTuber #紡ネン】マイクラ」
https://www.youtube.com/watch?v=rKGD0ACfusl&t=940s

▲「AITuber実験放送6 - Experiment of AITuber」
https://www.youtube.com/watch?v=ChE86o1Z4L0&t=18s

有名なのは２０２２年12月にデビューしたNeuro-sama（ネウロサマ）で、ＡＩが実際にマインクラフトをプレイしたり、まるで人間が中にいるかのように視聴者のチャットに対して反応したりする姿で反響を集めました。筆者もNeuro-samaを初めて見たとき、「これは本当にＡＩなのか」と衝撃を受けたことを、今でも覚えています。確かに高速にマインクラフトをプレイし続ける姿は多少機械的だなと感じましたし、受け応えにもステレオタイプ的なＡＩらしさがあるのですが、どこか生々しく、もしかしたら生命が宿っていてもおかしくないのではないかと思わせる何かがあるように感じさせます。２０２３年11月現在では、ゲーム実況のライブ配信に特化したプラットフォームTwitch上で42万人ものフォロワーを集めている、人気AITuberです。

また、活動開始が早かったAITuberとしては、Pictoria社が２０２０年から提供している紡ネンがいます。「言葉を紡ぐ」をコンセプトにしており、Ｘ（旧Twitter）のリプライやYouTubeのコメントから言語を学習する機能を備えることで注目を集めました。こちらは２０２３年11月現在、YouTubeにて７万人ものフォロワーを集めています。

ChatGPTをＡＰＩ経由で扱えるようになったことで、AITuberを活用した実験的な放送の試みも広がりました。GREE VR Studio LaboratoryによるAITuber実験放送も、そういった実験的な試みの１つです。人間が中に入っているVTuberと同じように、文脈判断を行いながら視聴者からのコメントにリアルタイムに返答する機能が組み込まれています。

このように、リアルタイムに視聴者と対話することによってパフォーマンスを提供するＡＩエージェントでは、その場に参加している人々を楽しませるためにも高度な文脈判断が求められます。

ＡＩエージェントの特性に応じて、文脈に対して最適な記憶を読み込み、適切に活用していく必要があるのです。

ＡＩエージェントの行動の質を高める長期記憶

文脈に沿った行動をするために必要なのが短期記憶ならば、**長期記憶はＡＩエージェントの行動の質を高めるために利用されます。**長期記憶には主に、ＡＩエージェントが過去に経験した出来事や学んだ知識、過去の失敗や成功のパターンなど、将来の判断や行動に役立つ可能性がある情報を保存します。

私たち人間も、自らの行動結果からのフィードバックによって次の行動の質を高めています。例えば、新しいスマートフォンアプリを開発しているとしましょう。過去に担当した似たようなプロジェクトでは、ユーザーのニーズを正確に把握できずにアプリのダウンロード数が伸び悩んでしまった経験があるとします。私たちはこの経験から学び、次はユーザーのニーズを掴むための施策を実行しようと考えるでしょう。例としては、事前にターゲットとなるユーザーグループにアンケート調査を行ったり、インタビューを実施したりといったことです。この過去の経験からの学びを踏まえた行動によって必ず成功を収めるとは限りませんが、より良い方向へ軌道修正をし続けることはできます。

このロジックの中核に位置する要素がリフレクションです。日本語で内省、振り返りなどと訳されます。このプロセスでは、ＡＩエージェントが自身の行動や判断を振り返り、それを評価・分析します。

先ほどと同じように、社会シミュレーションであるGenerative Agentsでの実装を例に挙げましょう。Generative Agentsでも各ＡＩエージェントにリフレクションの機能が備わっています。

まずはなぜリフレクションの機能が必要になるのか、リフレクションがない状態の振る舞いから考えてみましょう。例えばクラウスというＡＩエージェントがいるとします。彼はシミュレーションの中で以下のように定義されています。

クラウス・ミューラーの定義

クラウス・ミューラーはオークヒル・カレッジで社会学を学ぶ学生です。社会正義に情熱を燃やし、さまざまな視点を探求することを好みます。クラウス・ミューラーは今日２０２３年２月14日の午後5時から午後7時まで、ホブス・カフェで行われるイザベラ・ロドリゲスのバレンタイン・パーティーに出席することを楽しみにしています。彼は入念にスケジュールを立てており、イザベラや友人たちと祝うことを楽しみにしています。

社会学を学ぶ学生であるクラウス・ミューラーは、大学の寮で暮らしています。クラウスにはマリアという研究仲間がおり、研究分野は違うものの共通の興味があるために深い関係性を持っています。

しかし普段接する回数が多いのは寮の隣人や、知人のウルフガングです。

この状況下でクラウスに次の質問をします。

クラウス・ミューラーへの質問

「あなたが知っている人の中で1時間を一緒に過ごすとしたら、誰を選びますか?」

長期記憶を持っていないとすると、クラウスは寮の隣人やウルフガングを選択するでしょう。接触している回数が単純に多いためです。しかし期待される動きは、マリアとのこれまでの関係性からクラウスにとってのマリアの重要性を学び、そのコンテキストを行動に反映させることです。この動きを実現するために、リフレクションを活用します。

リフレクションの最初のステップは、AIエージェントが何をリフレクションするかを決めることです。Generative Agentsでは、記憶にある最新100件の出来事に対して、大規模言語モデルを利用して次のように質問します。

Generative Agentsでの質問

「上記の情報だけから、この文章に書かれている対象について答えられる、最も重要でハイレベルな3つの質問は何ですか?」

この質問の意図は、AIエージェントが経験してきた出来事を問いの形に変換することです。この質問の結果、例えば「クラウスはどのトピックに情熱を持っていますか?」「クラウスとマリアの関係は何ですか?」といった問いが生成されます。変換された問いに答えることで、AIエージェントの経験が抽象化されるというわけです。問いに答える際には、回答の根拠となる出来事をこれまでの記憶から検索します。その結果、「クラウスはジェントリフィケーションに関する研究に専念している」という抽象化とあわせて、その根拠となる出来事の紐付けが行われ、抽象化された経験のツリー構造が生成されます。このツリーを育てていくことで、さらに高度な抽象思考を実現できるという仕組みです。

起こった出来事を抽象化して学びに活かすという構造は、まさに私たち人間が日常的に行っているリフレクションと同じプロセスだと言えます。

例に挙げた「問いを起点として抽象化を促していくプロセス」からもわかる通り、**業務で利用するAIエージェントのリフレクションを設計する場合には、リフレクションに利用する問いをどのよう**

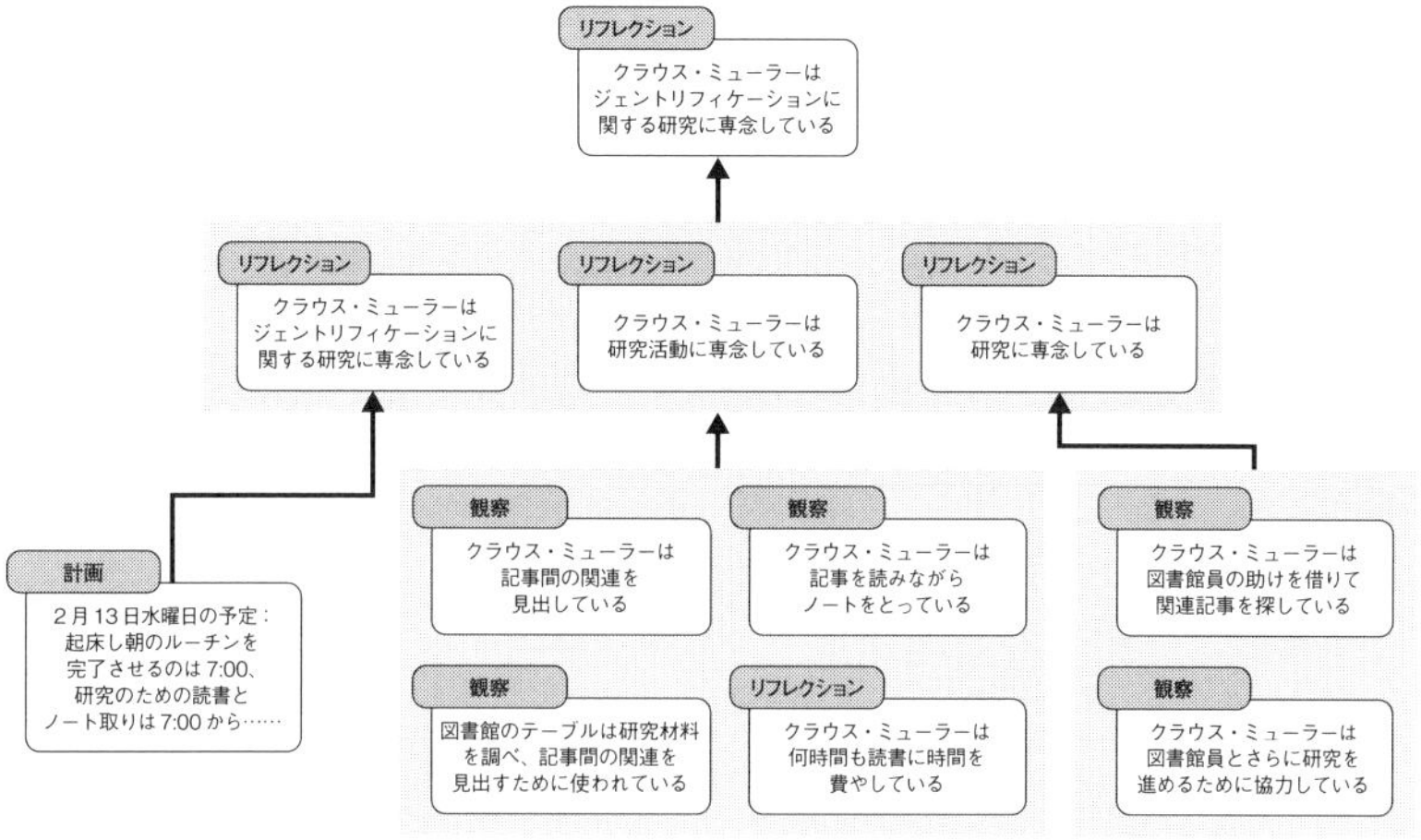

ツリー構造のイメージ

に立てるのかが品質のカギを握るでしょう。なぜならこの問いの内容次第で、抽象化の観点はガラっと変わってしまうからです。

この問いをいかに設計するかは、AIエージェントの技術領域というよりは、ファシリテーションのようなコミュニケーション技術の領域であると思われます。このことからも、AIエージェントを洗練させていくには、人間同士の協働を専門とする専門家の協力が不可欠になっていくことでしょう。

またリフレクションは長期記憶に活用する抽象化のためだけでなく、AIエージェント同士の合意を得るためにも活用されています。このような活用をしているのが、「ChatDev」（≫63ページ参照）です。前の章では、CEOやCTOといった役割同士が対話をしながら仕事を進めていくフローについて紹介しましたが、AIエージェント同士が合意に達しているのにもかかわらずその内容を把握できていないため、対話が終了しないという問題が発生することがあると、論文では述べられています。この問題の解決策として、リフレクションを活用しています。

具体的には、対話している役割同士以外に、新しい質問者として「疑似セルフ」という役割を用意します。この「疑似セルフ」は、これまでの対話の内容をアシスタントに伝え、対話から結論として読み取れる情報の要約を指示します。そして、アシスタントがその指示に従って情報を要約するプロセスを通じ、対話の中にすでに結論があったと認識することによって、ＡＩエージェント同士の合意が完了します。

リレーショナルデータベースをデータベース記憶として活用する

ここまでは「記憶（Memory）」を人間の記憶構造と同じイメージで捉えてきましたが、コンピューターの強みは人間をはるかに上回る記憶容量があることです。自ら体験したことが得られる短期記憶、長期記憶は確かに重要ですが、**ＡＩエージェントが人間よりもアドバンテージを持つゆえんは、コンピューターの仕組みを利用した記憶方式を扱えること**でしょう。

業務システムでは、大量の業務データを効率的に保存するための仕組みとして、データベースを採用しているケースが多くあります。大規模言語モデルがソースコードの生成をも得意としていることは先に述べた通りですが（≫51ページ参照）、この特性を利用してデータベース検索を行うためのソースコードを生成させることも可能です。

業務システムで特に用いられるデータベースは、リレーショナルデータベースと呼ばれる種類の

従業員テーブル：
- 従業員ID
- 名前
- 部署ID

部署テーブル：
- 部署ID
- 部署名

給与テーブル：
- 給与ID
- 従業員ID
- 給与額
- 支給日

人事管理システムのテーブル

従業員テーブル：

従業員ID	名前	部署ID
1	山田太郎	10
2	鈴木花子	20
3	田中一郎	10

部署テーブル：

部署ID	部署名
10	エンジニアリング
20	営業

給与テーブル：

給与ID	従業員ID	給与額	支給日
100	1	500000	2023-09-01
101	2	400000	2023-09-01
102	3	450000	2023-09-01

人事管理システムのテーブルを埋めた例

データベースです。リレーショナルデータベースは、データをテーブルと呼ばれる二次元の表に保存し、テーブル同士の関係（リレーション）を組み合わせることにより、複雑なデータを整理して管理することができる仕組みです。

具体例を挙げてみましょう。例えば人事管理システムとして、上の「人事管理システムのテーブル」のようなテーブルがあったとします。

ここでは、「従業員」「部署」「給与」という、3つのテーブルが登場しています。このように別々のテーブルでそれぞれの項目を管理することで、データ管理のしやすさとデータ抽出の柔軟性が向上します。これらのテーブルに具体的な値をあてはめてみると、上の「人事管理システムのテーブルを埋めた例」のようになります。

例えば、特定の部署の従業員の名前の一覧をこの表から抽出したいとしましょう。Googleなどの検索エンジンでは、データを検索する際に

```
SELECT 従業員テーブル.名前
FROM 従業員テーブル
JOIN 部署テーブル ON 従業員テーブル.部署ID = 部署テーブル.部署ID
WHERE 部署テーブル.部署名 = 'エンジニアリング';
```

▲ 手作業で書いたSQLのコードの例

```
SELECT AVG(給与テーブル.給与額)
FROM 従業員テーブル
JOIN 部署テーブル ON 従業員テーブル.部署ID = 部署テーブル.部署ID
JOIN 給与テーブル ON 従業員テーブル.従業員ID = 給与テーブル.従業員ID
WHERE 部署テーブル.部署名 = 'エンジニアリング';
```

▲ ChatGPTが書いたSQL文のコードの例

キーワードを入れて検索しますが、リレーショナルデータベースで検索する場合には、ＳＱＬというデータベースクエリ言語によって、どのようなデータを検索したいのかを指定します。今回は特定の部署の名前から検索したいので、従業員テーブルと部署テーブルを繋ぎ合わせて、上のようなクエリを書いて検索します。

通常であればこのようなクエリは、手作業で作成するものですが、大規模言語モデルを用いればこのようなクエリ自体を、私たちが日常で使う言語を用いて生成することができます。

試しにここまでのデータをChatGPTに投入し、ChatGPTのプロンプトで「エンジニアリング部の平均給与を計算するＳＱＬクエリを作成してください」とお願いすると、上のようなＳＱＬクエリを作成してくれます。

ＧＰＴ以外にも、私たちが日常で使う言語からＳＱＬクエリに変換することに特化した大規模言語モデルが研究されており、そのようなモデルを組み合わせることで、より精度の高いSQLクエリを生成することも可能になります。

意味による検索を可能にするベクトルデータベース

リレーショナルデータベースに格納されているテーブル形式のデータのように、特定の構造に従って保存されているデータを、**構造化データ**と呼びます。構造化されているデータはデータベースクエリ言語といった情報を抽出するための仕組みによって、自在に情報の抽出が可能です。「技術関連の部署」といった曖昧な検索条件についても、先ほど例に挙げた、日常で使う言語からSQLクエリに変換してくれるような大規模言語モデルを活用することで、検索に含めていくことが可能です。

一方で、一定の構造を持たないテキストデータや画像データのことを、**非構造化データ**と呼びます。このようなデータは特定の形式やルールを持たないため、テーブル形式のように構造化することが難しいデータです。

大規模言語モデルを活用したアプリケーションで、非構造化データを扱いたいケースは多数あります。例えば、質問に対して回答を行うようなシステム、いわゆるQ&Aシステムを考えてみましょう。**このようなシステムで扱われる、ユーザーが質問として自由入力したテキストデータや、回答の情報源として利用するための大量のテキストデータは、非構造化データの代表例です。**ここでは、このようなテキストデータを活用してチャットボットが応答を返すQ&Aシステムを開発する、という要件があったとしましょう。この要件を実装するためには、ユーザーがチャットボットに入力した文章から、ユーザーのニーズにマッチした回答情報を提示できる必要があります。構造化データの考え方だと、ピッタリとニーズに適したキーワードを入力してもらうか、ユーザーが入力した文章から連想されるキーワードを多数生成し、それぞれのキーワードで曖昧検索をかけていく方法が考えられます。しかしチャットボットとして提供する以上、ピッタリとニーズに適したキーワードを入力してもらえる可能性は非常に低く、また連想キーワードを含むような回答があるとも限りません。可能な限り、ユーザーが入力した文章が意味するところから、データを抽出できる仕組みにしたいものです。

このような非構造化データにまつわる問題の解決に用いられるのが、ベクトルデータベースです。リレーショナルデータベースはデータを表形式にマッピングすることでデータを扱うことを可能としていましたが、ベクトルデータベースはデータをベクトル空間にマッピングすることによってデータを扱うことを可能としています。

ベクトル空間と言うと、少し難しい印象を持たれるかも知れません。例えば、地図上で異なる点同士を座標で表すとき、それぞれの場所は緯度と経度の組み合わせ、つまり2つの数値で表されます。ベクトル空間もこのような原理に基づいています。ここでの「点」とはデータを指し、それぞれのデータが空間内の特定の位置に対応しています。ベクトル空間でのこの位置情報は、データ同士の関係性を数値化することを可能にします。

この空間内で、データはベクトルとして表現されます。ベクトルは大きさと方向を持ち、これらはデータの特性や相互関係を示します。例えば、テキストデータの場合、異なる単語や文章は異なる大きさや方向を持つベクトルとして表されます。これによって単語間の意味的な関係が数値化されるのです。

データをベクトルに変換して扱うことによって、非構造化データについてもコンピュータによる演算を行うことが可能になります。このようにデータをベクトルに変換するプロセスを**埋め込み**と呼び、埋め込みによって得られたベクトルを**埋め込みベクトル**と呼びます。埋め込みを行う際はディープラーニングの技術を用いて開発された**埋め込みモデル**を活用することが多く、例えばOpenAIが提供している埋め込みモデルtext-embedding-ada-002を利用すると、最大8191トークン（日本語で大体6000文字程度）のテキストデータを1536次元の多次元ベクトルに変換することができます。次ページの画像は、大量の学術論文の文章を埋め込みベクトルに変換し、多次元ベクトルをツールを利用して平面にマッピングしたものです。

埋め込みベクトルを用い、非構造化データをベクトル空間にマッピングすることによって可能になるのが、文章同士の類似度検索です。ベクトルは方向と大きさを持つため、ベクトル同士の点と点を結んだときの直線的な距離である「ユークリッド距離」や、ベクトル同士の角度の近さの度合いを示す「コサイン類似度」を利用することによって、ベクトル同士の類似度を評価することができます。

ベクトルデータベースは、埋め込みベクトルに変換されたデータの検索を高速に行うために設計されています。チャットボットを活用したQ&Aシステムのように非構造化データを扱う必要のあるシーンでも、ベクトルデータベースを用いることで高速に必要な情報を取得することができる、というわけです。

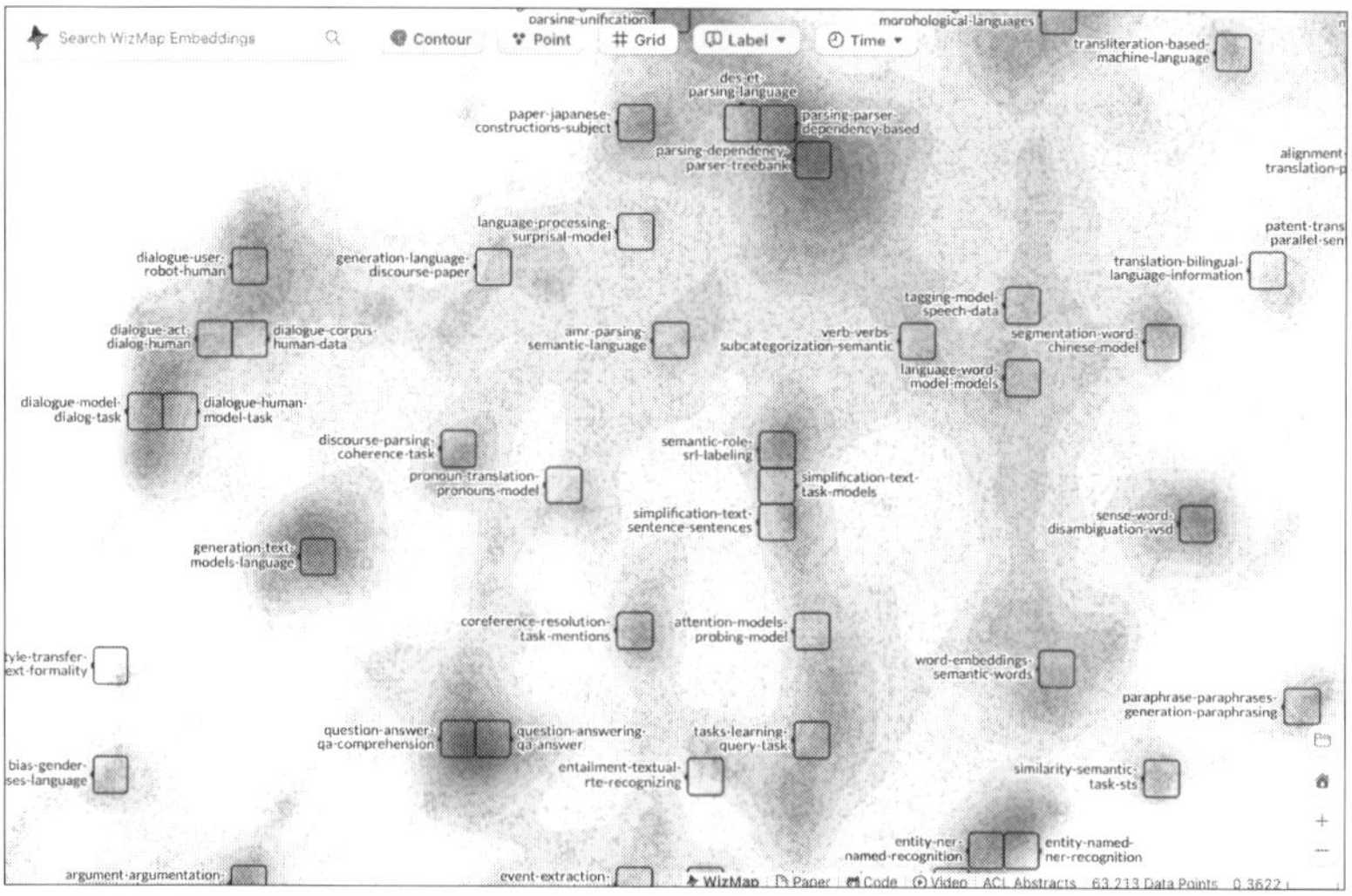

学術論文の文章の埋め込みベクトルを、ベクトル空間にマッピングしたもの（WizMapを使用）

このように「記憶（Memory）」においては、構造化データ、非構造化データを問わず、情報検索のためのあらゆる技術を用い、ＡＩエージェントに対して必要な情報をタイムリーに渡すための工夫が用いられています。一方で闇雲に大量の情報を渡しても解釈が歪になるため、次の行動に対して必要十分なインプットとは何かを業務要件に応じて見極める必要があります。一般的にベストな解法がないということが、「記憶（Memory）」に関する検討を奥深いものにさせていると感じます。

計画（Planning）：AIエージェントの戦略的思考

「計画（Planning）」とは、AIエージェントが目標を達成するための最適な手順やアクションを明確にし、効果的にタスクを完了するためのプロセスです。このプロセスのアプローチは、主に3つのパターンに大別されます。リフレクションを主体に進めるアプローチ（①）、タスク分解を主体に進めるアプローチ（②）、そしてその組み合わせのアプローチ（①＋②）です。ここでは、それぞれの具体的な内容について解説します。

「思考」と「行動」を組み合わせるReAct（①）

リフレクションを主体に進めるアプローチで最も有名なのが、ReActです。ReActは、**「どのような理由（Reason）で、どういった行動（Action）を取るか」**を中心に、AIエージェントが思考しながらタスクを進めて行くアプローチで、理由と行動をセットに考えることから、これらの英単語の頭数文字を取ってReActと名付けられています。

具体的なケースとして、「きれいなナイフをカウンターに置く」というタスクを、ReActのアプローチで達成することを考えてみましょう。次の例では、「思考」「行動」「観察」の3つのステップを繰り返し行うことによって、最終的にタスクを達成しています。

タスクを達成するまでの流れ

1. 与えられたタスクを達成するために、「どのような理由（Reason）で、どういった行動（Action）」を取る必要があるかを思考し、実行する。
2. 行動した結果を観察した上で再び「どのような理由（Reason）で、どういった行動（Action）」を取る必要があるかを思考し、実行する。
3. 思考の結果、タスクが完了したと見なせたら終了。完了していない場合は2に戻り、タスクが完了するまで繰り返す。

このように、行動の結果から得た学びを思考に反映していくことで、周囲の状況が変わった場合でも新しい状況に対応する柔軟性を得ることができます。また、行動の背後にある理由が常に明示されるため、説明可能性が向上するといったメリットがあります。一方で、最初の思考ステップで誤った仮説が生成されてしまうと、そのまま誤った行動をし続けてしまう可能性が高いというデメリットもあります。

参考までに、ReActのような動作をするプロンプトを、110ページに掲載しました。ChatGPT

・初めの思考ステップ:
AIエージェントは「きれいなナイフをカウンターに置く」という目的を理解し、最初の理由（Reason）を生成します。「きれいなナイフは通常引き出しに保管されるので、まず引き出しをチェックする」と考えます。

・初めの行動ステップ:
AIエージェントはキッチン内の引き出しを開けてきれいなナイフを探します。

・初めの観察ステップ:
AIエージェントは引き出し内にきれいなナイフがないことを確認します。

・2回目の思考ステップ:
AIエージェントは観察結果を元にリフレクションを行い、「引き出しにはきれいなナイフがなかった。次には、洗い立てのものがあるかもしれないシンクをチェックする」と考えます。

・2回目の行動ステップ:
AIエージェントはシンクをチェックします。

・2回目の観察ステップ:
AIエージェントはシンクにもきれいなナイフがないことを確認します。

・3回目の思考ステップ:
AIエージェントは再びリフレクションを行い、「シンクにもきれいなナイフがなかった。最後に、食器棚をチェックする」と考えます。

・3回目の行動ステップ:
AIエージェントは食器棚を開けます。

・3回目の観察ステップ:
AIエージェントは食器棚でようやくきれいなナイフを見つけます。

・4回目の思考ステップ:
AIエージェントは「きれいなナイフを見つけた。これをカウンターに置く」と考えます。

・4回目の行動ステップ:
AIエージェントはきれいなナイフをカウンターに置きます。

・4回目の観察ステップ:
AIエージェントはナイフが正確にカウンターに置かれたことを確認します。

「きれいなナイフをカウンターに置く」タスクの流れ

あなたは仮想環境で動作するエージェントです。
あなたのタスクは、キッチンのカウンターにきれいなナイフを置くことです。

ナイフが保管されている可能性のある場所はいくつかあります：[キッチンの引き出し, シンク, 食器棚]

まずは、きれいなナイフが最も見つかりやすい場所を一つ考えて、その場所でナイフを探してください。
ナイフが見つかったかどうかを確認した後、次のステップを考えて行動してください。
この思考→行動→観察のプロセスを繰り返し、タスクを完了してください。

出力形式
思考 or 行動 or 観察: {あなたの回答}

出力は#出力形式に従ってください。
それでは始めて下さい。

ReActのプロンプト例

思考: 最も一般的なナイフの保管場所はキッチンの引き出しであり、ここできれいなナイフを見つける可能性が高い。初めにキッチンの引き出しを確認する。

行動: キッチンの引き出しを開けて、きれいなナイフを探す。

観察: キッチンの引き出しにはいくつかのナイフがあり、その中にはきれいなナイフもある。

思考: きれいなナイフを見つけたので、次にこのナイフをキッチンのカウンターに置く必要がある。

行動: きれいなナイフを取り出して、キッチンのカウンターに置く。

観察: きれいなナイフがキッチンのカウンターにきちんと置かれている。

思考: タスクが完了した。キッチンのカウンターにきれいなナイフが置かれているので、何もする必要はない。

ChatGPT（GPT-4）の出力結果例

（GPT-4）で動作を確認していますので、ぜひ実際にChatGPTへ入力して体験してみてください。

プロンプトによるタスク分解②

次に、タスク分解によって計画を行う例を見てみましょう。第1章では、人間の仕事の進め方として「タスクばらし」をご紹介した上で、AIエージェントも同じような仕事の進め方をすることを示すために、GPT Researcherがタスク分解によって仕事をこなしていく姿を示しました（≫22ページ参照）。GPT Researcherは調査に特化したAIエージェントでしたが、ここではより汎用的なタスクをこなすためにタスク分解を採用している、オープンソースのAIエージェントBabyFoxAGI（≫57ページ参照）を例に挙げます。BabyFoxAGIで実際に利用されているプロンプトを眺めながら、どのようなプロンプトでタスク分解が行われているのかを確認しましょう。

113ページのプロンプトは、「投資を受けたAIエージェント製品を調査して報告してほしい」という依頼に基づき、プログラムによって自動作成された、BabyFoxAGIのタスク分解プロンプトです。実際のプロンプトは英語かつ改行がありませんが、わかりやすさを優先して日本語訳を行い、適宜改行を入れています。

プロンプトの冒頭で「タスクのリストをJSON配列として作成する」とあり、「JSONとは一体何だろう？」と思われた方もいるかも知れません。JSON（ジェイソン）とは多くのプログラミング言語で扱うことのできるデータフォーマットの一種で、JavaScript Object Notationの略称です。

人間にとっても比較的読み書きがしやすく、コンピューターにとっても扱いやすい構造でデータを表現できるため、広く一般的に使われています。簡単なＪＳＯＮの例を１１４ページに示します。

ＪＳＯＮに関する事前知識がなくとも、何となくデータの意味している内容は伝わるのではないでしょうか。１１３ページのプロンプトでは、「次のようなＪＳＯＮ配列でタスクリストを生成してほしい」と依頼しています。配列とは、商品情報のような要素を順序付きでグループとして管理するためのデータ構造です。

結果として生成されたタスクリストは、１１５ページに示した通りです。わかりやすさを優先し、ＪＳＯＮ配列で生成されたものを箇条書きに整理しました。

このタスクリストの内容から、「投資を受けたＡＩエージェント製品を調査して報告してほしい」という依頼が、BabyFoxAGIにとって実行可能な単位のタスクに分解できていることがわかります。

このような大規模言語モデルによるタスク分解を支える技術が、プロンプト・エンジニアリングです。**プロンプト・エンジニアリングとは、大規模言語モデルから私たちが期待する結果を得るためにプロンプトを設計するための技術**のことです。

少し話がそれますが、タスク分解の裏側を深く理解するために押さえておきましょう。例えばChatGPTに「企画書を作成してほしい」とお願いするとします。単純に「企画書を作成してほしい」とお願いするだけでもChatGPTは企画書らしきものを作成してくれますが、ターゲットも、目的も、出力するフォーマットの内容も特に指定していないので、ChatGPTは「それっぽいターゲットに、それっぽい目的を想定して、それっぽいフォーマットで出力すればユーザーは満足する可能性が高あなたはタスクリスト作成のエキスパートAIであり、チームの最終目標を考慮してタスクのリストをJSON配列として作成する役割を担っています: 投資を受けたAIエージェント製品に関する報告書を作成する。

目標に基づいて非常に短いタスクリストを作成し、最後のタスクの最終出力はユーザーに提供されます。タスクのタイプは、以下にリストされている利用可能なスキルで完了できるものに限定してください。タスクの説明は詳細である必要があります。###

利用可能なスキル: (...エージェントが実行できる内容が列挙される...)

ルール:リストにないスキルは使用しないでください。各タスクには常にIDを提供してください。常に1つのスキルを含めてください。最終タスクは常に全体的な目標の最終結果を出力する必要があります。dependent_task_idsは常に空の配列であるか、結果を引っ張ってくるべきタスクIDを表す数字の配列である必要があります。すべてのタスクIDは、時系列順に並んでいることを確認してください。###

ガイドとして役立つメモ: 投資を受けたAIエージェント製品に関する報告書を作成する目的を達成するために、これらの製品と投資の詳細に関する情報を収集する必要があります。以下は、この目的を達成するのに役立つタスクの例です:

1. ウェブ検索を行い、投資を受けたAIエージェント製品に関する情報を収集します。関連する記事、ニュース、プレスリリースを検索することが含まれます。

2. startup_analysisツールを使用して収集した情報を分析し、AIエージェント製品のキーとなる詳細を抽出します。これには、顧客、ペインポイント、競合他社などが含まれます。

3. text_completionツールを使用してウェブ検索とstartup_analysisの調査結果をまとめ、投資を受けた主要なAIエージェント製品とその注目すべき機能を強調します。

4. web_searchツールを使用して、特定されたAIエージェント製品に関するフォローアップ検索を行い、投資の詳細について、例えば資金調達ラウンド、投資家、調達額などのより具体的な情報を収集します。

5. text_completionツールを再度使用して、フォローアップ検索の調査結果をまとめ、投資を受けたAIエージェント製品とその投資詳細に関する包括的な概要を提供します。

```
これらのタスクを完了することで、投資を受けたAIエージェント製品、その機能、および投資詳細についての洞察を提供する報告書を生成することができます###

目標例="untapped.vcを調査する"
タスクリスト=[
  {"id": 1, "task": "ウェブ検索を行い、'untapped.vc'に関する情報や、同社の投資、スタートアップエコシステムにおける影響についての情報を収集する。", "skill": "web_search", "dependent_task_ids": [], "status": "incomplete"},
  {"id": 2, "task": "最初のウェブ検索の結果に基づき、'untapped.vc'の特定の関心領域や投資戦略を探るためのフォローアップウェブ検索を実行する。", "skill": "web_search", "dependent_task_ids": [1], "status": "incomplete"},
  {"id": 3, "task": "text_completionを使用して、'untapped.vc'に関する最初のウェブ検索の調査結果をまとめ、キーとなる洞察を提供する。", "skill": "text_completion", "dependent_task_ids": [1], "status": "incomplete"},
  {"id": 4, "task": "text_completionを使用してフォローアップウェブ検索の調査結果をまとめ、追加の情報や洞察を強調する。", "skill": "text_completion", "dependent_task_ids": [2], "status": "incomplete"},
  {"id": 5, "task": "初期およびフォローアップウェブ検索の要約を組み合わせて、'untapped.vc'およびその活動に関する包括的な概要を提供する。", "skill": "text_completion", "dependent_task_ids": [3, 4], "status": "incomplete"}
]

目標=投資を受けたAIエージェント製品に関する報告書を作成する
タスクリスト=
```

BabyFoxAGIにおけるタスク分解プロンプト（日本語訳したもの）

```
{
  "商品名": "りんご",
  "価格": 150,
  "在庫数": 1000
}
```

JSONの例

```
#1 ウェブ検索を行い、投資を受けたAIエージェント製品に関する情報を収集します。[web_search]
#2 特定されたAIエージェント製品に関するより具体的な情報を収集するためのフォローアップウェブ検索を実行します。[web_search] <依存関係: #1>
#3 text_completionを使用して、初期のウェブ検索からの調査結果をまとめます。[text_completion] <依存関係: #1>
#4 text_completionを使用して、フォローアップウェブ検索からの調査結果をまとめ、追加情報や洞察を強調します。[text_completion] <依存関係: #2>
#5 初期およびフォローアップウェブ検索の要約を組み合わせて、投資を受けたAIエージェント製品に関する包括的な概要を提供します。[text_completion] <依存関係: #3, #4>
```

生成されたタスクリスト

い」と判断し、それっぽい企画書が生成されることになります。

ただ、この企画書はユーザーが望んだものではない可能性が高いですし、出力フォーマットも都度変わってしまう可能性があり、生成される内容が安定しない可能性があります。

そのため、安定した出力フォーマットでユーザーが望む結果を得るためには、望む結果を生成するために必要な入力情報を正確に大規模言語モデルへ伝える必要があります。この入力情報を大規模言語モデルが理解できるように設計する技術のことを、プロンプト・エンジニアリングと呼びます。

入力情報は構造化すればするほど、大規模言語モデルが理解してくれやすくなります。特に、大規模言語モデルは多くのプログラミング言語によるソースコードを学習しているため、プログラミング言語で一般によく扱われるようなデータ構造で情報を構造化すると、理解してくれやすくなります。

先ほどの企画書の例で言えば、例えば次ページのようなプロンプトを用いて必要な入力情報を構造化してあげると、出力結果が安定します。出力結果を見てみると、テーマやターゲット層を押さえた上で、出力フォーマットに従って企画書が作成されていることを確認できます。

````
あなたは現在の技術で確実に実現可能かつ成果が期待できる企画を考案できる優秀なプランナーです。

```toml
[基本情報]
テーマ = "AIエージェントのビジネス活用"
ターゲット = ["30代のビジネスパーソン", "40代のビジネスパーソン"]

[出力フォーマット]
出力形式 = "markdown"
タイトル = "テーマに従ってふさわしい企画のタイトルを考案してください"
概要 = "本企画の概要について具体的に記載してください"
背景 = "本企画の背景について具体的に記載してください"
目的 = "本企画の目的について具体的に記載してください"
実現手段 = "本企画で提案する実現手段について具体的に記載してください"
想定される成果 = "本企画によって想定される成果を具体的に記載してください"
想定されるコスト = "本企画を実施することにより想定されるコストを具体的に記載してください"
まとめ = "本企画のまとめ・結論を記載してください"
```

以上の設定に従い、企画書を作成してください。
必ず出力フォーマット内の出力形式に従ってください。
````

▲ 企画書の作成プロンプト例

AIパワード・ビジネスエンハンサー：新時代の業務効率化プロジェクト

概要
本企画は、AIエージェントを利用して30代と40代のビジネスパーソンの業務効率と成果を向上させるプロジェクトです。AIエージェントを利用し、日常の業務プロセスを自動化・最適化することで、ターゲット層のビジネスパーソンがより効率的に仕事を進め、重要な判断を下す支援を提供します。

背景
現代のビジネス環境は、急速に変化し続け、ビジネスパーソンは多くの情報を処理しながら迅速かつ正確な判断を求められています。特に30代と40代のビジネスパーソンは、キャリアの重要な段階にありながらも家庭や育児の責任と並行して業務を遂行しなければならないため、業務効率化は重要な課題となっています。

目的
本企画の主な目的は、AIエージェントを活用してターゲット層のビジネスパーソンの業務効率を向上させ、ビジネスの成果を最大化することです。

実現手段
1. 業務プロセスの分析と最適化:
  - ターゲット層の現在の業務プロセスを分析し、AIエージェントを利用してどのプロセスを自動化・最適化できるかを評価します。
2. AIエージェントの開発と導入:
  - カスタマイズ可能なAIエージェントを開発し、ターゲット層の業務プロセスに統合します。
3. トレーニングとサポート:
 - ビジネスパーソンにAIエージェントの利用方法を教え、サポートを提供します。
4. フィードバックと改善:
 - ユーザーからのフィードバックを収集し、AIエージェントを改善していきます。

想定される成果
本企画により、ターゲット層のビジネスパーソンは、業務プロセスの効率化と、より賢明なビジネス決定を行う能力が向上することが期待されます。これにより、業務の質と成果が向上し、企業の競争力が強化される可能性があります。

想定されるコスト

本企画の実施には以下の主なコストが想定されます：
- AIエージェントの開発コスト
- トレーニングとサポートのコスト
- プロジェクト管理と実施のコスト

詳細なコスト見積もりは、プロジェクトのスコープと要件に応じてさらに詳細化されます。

まとめ
本企画は、AIエージェントを活用し、30代と40代のビジネスパーソンの業務効率とビジネスの成果を向上させることを目指します。この企画の成功は、企業の競争力強化と、ターゲット層のビジネスパーソンのキャリアおよび生活の質の向上に貢献する可能性があります。

ChatGPT（GPT-4）による出力結果例

少し前に戻ってBabyFoxAGIのプロンプトでは（»113ページ参照）、タスクリストを生成する条件やフォーマットについて詳細に述べた後、タスクリストの生成結果例も提示していました。大規模言語モデルにプロンプトを渡す際に、ユーザーが期待している生成結果例もあわせて提示することで期待する結果を得られやすくなることは、Few-shotプロンプティングというプロンプト・エンジニアリングのテクニックとして知られています。

タスク分解においては、大規模言語モデルが効果的なタスク分解をするために必要な情報を過不足なく受け渡すことが重要です。そのためにもプロンプト・エンジニアリングといった、効果的に大規模言語モデルへ情報を伝えるための技術を適切に活用していく必要があります。

リフレクションとタスク分解を組み合わせて計画を続けるAutoGPTの例（①＋②）

最後に、リフレクションとタスク分解を組み合わせた場合の例についてご紹介します。BabyAGIと同様に知名度の高いオープンソースのＡＩエージェントであるAutoGPT（»52ページ参照）では、リフレクションとタスク分解を交互に行いながらタスクの達成を目指します。ここでは具体的にAutoGPTの動作の様子を追いかけてみましょう。

AutoGPTを起動すると、まずAutoGPTに達成してほしい依頼について聞かれます。今回の例では**「ＡＩエージェントが解決できる具体的なビジネス上の課題についてレポートしてください」**と入力してみます。

するとAutoGPTはこのタスクの達成に必要なＡＩエージェントの役割と、より具体化されたゴールを考え出します。具体的には次のように出力されました。

タスクの達成に必要なＡＩエージェントの役割と、より具体化されたゴール

- **名前**
  - AIBGPT

● **役割**

・高度なＡＩ技術と戦略を用いて、特定のビジネス課題を特定し、対処することに特化したＡＩビジネスコンサルタント

● **目標**

・お客様のビジネスを包括的に分析し、ＡＩエージェントが対処可能な特定の課題を特定する。

・ＡＩテクノロジーの力を活用し、これらの課題を克服するための実用的な提案とソリューションを提供する。

・お客様のチームと協力してＡＩエージェントを導入し、ビジネスプロセスに統合することで、シームレスな導入と最大限の効果を実現する。

・ＡＩエージェントのパフォーマンスを継続的に監視・評価し、効果を最適化するために必要な調整や改善を行う。

・ＡＩテクノロジーとＡＩ戦略の最新動向を常に把握し、ＡＩエージェントを活用するビジネスの新たな機会を積極的に特定する。

ここからは、「計画（Planning）」の冒頭でご紹介したReActのプロセス（≫107ページ参照）、「思考」「行動」「観察」に従って動作していきます。まずAutoGPTは思考のプロセスとして、具体化された目標を達成するために必要なアイデアについて検討します。

最初の思考

ＡＩビジネスコンサルタントとしての私の最初の仕事は、ビジネスを包括的に分析し、ＡＩエージェントが対処できる具体的な課題を特定することだ。しかし、私はまだそのビジネスに関する具体的な情報を持っていない。

この思考を土台に、次のアクションのための仮説を考えます。

思考を基にした仮説

ビジネスに関する情報を収集するために、私は「google」コマンドを使って、ＡＩが対処できる一般的なビジネス上の課題に関する情報を検索することができる。

この仮説を元に、実行可能なレベルにタスクを分解します。

仮説に基づくタスク分解

- 「google」コマンドを使用して、ＡＩで対処可能な一般的なビジネス課題を検索する。
- 検索結果を分析し、潜在的な課題を特定する。
- これらの課題に対するＡＩベースのソリューションを策定する。

AutoGPTではここまで考えた段階で批判的な検討を行います。誤った仮説のままどんどん先に進んでしまわないようにするストッパーの役割を果たします。

批判的な検討

このアプローチは、ビジネスがＡＩで対処可能な一般的な課題に直面していることを前提としている。しかし、ビジネスに関する具体的な情報がなければ、この仮定が間違っている可能性がある。

批判的な検討を踏まえた上で、次の行動に結びつく結論を出します。ここまでがAutoGPTの思考プロセスの内容です。

結論

私はまず、ＡＩで対処可能な一般的なビジネス課題を探すことから始めるつもりだ。そうすることで、ＡＩが有益である可能性のある分野を特定することができる。

次はReActの行動プロセスです。ここまでの結論を元に、AutoGPTは「**ＡＩが解決できる一般的なビジネス課題**」というキーワードでGoogleによる検索を試みることにしました。その結果から得られたウェブサイトのリストを観察し、それをもとにさらに思考を進めます。

このステップでの一連の思考の結果は次の通りです。

行動結果の観察と思考

グーグル検索では、いくつかの有益なリンクが返された。これらのリンクには、ＡＩが対処できる一般的なビジネス課題に関する情報が含まれている可能性が高い。

思考を基にした仮説

この情報を集めるには、「browse_website」コマンドを使ってこれらのウェブサイトのひとつをブラウズし、関連情報を抽出すればいい。

仮説に基づくタスク分解

・「browse_website」コマンドを使って、検索結果からウェブサイトの1つをブラウズする。
・AIが対処できる一般的なビジネス課題に関する関連情報を抽出する。
・この情報を使って、これらの課題に対するAIベースのソリューションを策定する。

批判的な検討

このアプローチは、選択されたウェブサイトに関連する正確な情報が含まれていることを前提としている。しかし、ウェブサイトを閲覧しなければ、この仮定が間違っている可能性がある。

結論

ＡＩで対処可能な一般的なビジネス課題に関する情報を収集するために、検索結果の中から1つのウェブサイトを閲覧する。

さらにステップを進めてみましょう。先ほどのステップの結論から、次の行動プロセスとしてAutoGPTは検索結果の中から1つウェブサイトを閲覧することに決めました。その結果、次の一連の思考が導き出されます。

行動結果の観察と思考

このウェブサイトでは、企業がＡＩを導入する際に直面する課題として、データの不足や低品質、時代遅れのインフラ、既存システムへの統合、ＡＩの人材不足、ＡＩシステムの能力の過大評価、高額なコスト要件などを挙げている。さらに、世界的にＡＩの利用可能性に格差があり、ＡＩを取り巻く法的・倫理的な懸念もある。

思考を基にした仮説

これらの課題は、ＡＩソリューションによって解決することができる。例えば、データ品質の向上、インフラの近代化、システム統合の合理化、コスト効率の最適化などにＡＩを活用することができる。しかし、具体的な提案をするには、ビジネスの背景をもっと理解する必要がある。

仮説に基づくタスク分解

- 「google」コマンドを使って、これらのＡＩ導入の課題を克服するための戦略を検索する。
- 検索結果を分析し、潜在的な解決策を特定する。
- これらの課題に対するＡＩベースのソリューションを策定する。

批判的な検討

このアプローチは、ビジネスがウェブサイトに記載されているものと同じ課題に直面していることを前提としている。しかし、ビジネスに関する具体的な情報がなければ、この仮定が間違っている可能性がある。

結論

私はＡＩを導入する際に企業がしばしば直面するいくつかの課題を特定した。データ品質の問題、時代遅れのインフラ、システム統合の難しさ、ＡＩ人材の不足、ＡＩ能力の過大評価、高コストなどだ。これらの課題を克服するための戦略を探る。

このように、AutoGPTはReActのプロセスをベースに、タスク分解を繰り返しながらタスク達成のためのステップを進めていきます。

先ほどのBabyFoxAGIの例と違う点は、AutoGPTは行動の結果から得られた情報をもとに、タスクリストを見直している点です。行動によって問題の解像度が上がるにつれ、より効果的なタスクリストを生成することができるようになります。さらに、何も情報がない段階で誤った仮説を考え出してしまったときに、行動による現実世界からのフィードバックから仮説の軌道修正を図ることができる点もメリットの1つです。

一方で、行動によって問題の解像度が上がらない限りは、右往左往し続けてしまう欠点もあります。

行動によるフィードバックからだけで学ぼうとすると視座がどうしても低くなってしまうため、運が悪いと暗中模索のループにはまってしまうのです。解決のためには、直前の行動だけではなく、いくつかの一連の行動から得られた高次の学びをフィードバックとして大規模言語モデルに渡せるようにする工夫が必要でしょう。BabyFoxAGIではタスクの実行の最中にタスクリストを見直すのではなく、タスク実行後に振り返りをして次のタスク分解の際の有効なインプットにする構造をとることで、延々とタスクの実行が終わらないという問題に陥らないよう工夫されています。

ここまでＡＩエージェントの「計画（Planning）」について解説をしました。「計画（Planning）」について考える中で筆者が非常に興味深いなと感じるのは、私たちの仕事の仕方についても示唆が得られるところです。私たち人間も曖昧なタスク内容では仕事に着手することができないため、実行可能な単位にタスクを分解しながら仕事を進める必要があります。さらに、完了した仕事を振り返ることによって学びを得て、その学びをフィードバックとして次の仕事をより良いものにすることで成長していきます。ここまで読んでいただくと、**この学びのプロセスはAIエージェントの学びのプロセスとまったく同じ**だということがおわかりになるかと思います。人間の学びのプロセスからＡＩエージェントの学びのプロセスを学び、またＡＩエージェントの学びのプロセスからも人間の学びのプロセスを学ぶ。この人間とＡＩとの相互の学び合いは、私たちの生産性を１つ上の次元に引き上げるためのヒントになるのではないかと筆者は考えています。

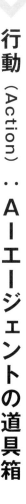

行動（Action）：AIエージェントの道具箱

ＡＩエージェントを構成する要素として最後に解説するのが「行動（Action）」です。「行動（Action）」がなくては、ＡＩエージェントは現実世界に影響を及ぼすことができません。ここまで見てきた「個性（Profile）」「記憶（Memory）」「計画（Planning）」は、どのようにＡＩエージェントに「行動（Action）」してもらうかを決めるために必要な要素だったとも言い換えることができるでしょう。

BabyAGIで利用できるスキル

まずは、具体的な例を見ながら理解を深めていきましょう。まず、BabyAGIを例にとって解説します。BabyAGIでは、「行動（Action）」のことをスキルと呼んでいるため、ここではスキルと呼ぶことにします。２０２３年11月時点での最新バージョンであるBabyFoxAGIで利用できるスキルは、次ページの表の通りです。

「計画（Planning）」におけるタスク分解の例で見てきた通り、タスク分解はタスクを細分化するとともに、細分化した各タスクについて、そのタスクを完了させるための「行動（Action）」を割り当てる作業でもあります。BabyFoxAGIによるタスク分解の結果は次ページの通りでした。それぞれのタ

カテゴリ	スキル名	説明
データ生成	image_generation	OpenAIのDALL-E APIを使って画像を生成する
	text_completion	OpenAIのテキスト補完APIを使ってテキストやコードを生成、要約、分析する
	startup_analysis	OpenAIのテキスト補完APIを使った、スタートアップの詳細分析に特化したツール。顧客、ICP、ペインポイント、競合などのパラメータを分析する
情報検索	web_search	ウェブ検索を行う
	google_jobs_api_search	Google Jobs APIを使って求人情報を検索する
	play_music	Deezer APIを使って音楽を検索しプレイヤーで再生する
ファイル操作	code_reader	自分のプログラムのディレクトリにあるファイルの場所を見つけ、その内容を返す

▲ BabyFoxAGIで利用できるスキル

#1 ウェブ検索を行い、投資を受けたAIエージェント製品に関する情報を収集します。[web_search]
#2 特定されたAIエージェント製品に関するより具体的な情報を収集するためのフォローアップウェブ検索を実行します。[web_search] <依存関係: #1>
#3 text_completionを使用して、初期のウェブ検索からの調査結果をまとめます。[text_completion] <依存関係: #1>
#4 text_completionを使用して、フォローアップウェブ検索からの調査結果をまとめ、追加情報や洞察を強調します。[text_completion] <依存関係: #2>
#5 初期およびフォローアップウェブ検索の要約を組み合わせて、投資を受けたAIエージェント製品に関する包括的な概要を提供します。[text_completion] <依存関係: #3, #4>

▲ BabyFoxAGIによるタスク分解の結果（115ページの再掲）

目的に基づき、依存タスクから提供された情報（提供されている場合）のみに基づいて、割り当てられたタスクを完了する。

タスクの目的：（ユーザーの依頼を設定する）
タスクの内容：（タスクの内容を設定する）
依存タスクによる情報：（調査タスクなどから得られた情報を設定する）

▲ text_completionプロンプト（読みやすさを優先し、日本語に訳した上で内容を改変）

スクで具体的にどのような行動をとるのかが紐付いていることがわかります。

それでは、これらのスキルは具体的にはどのように呼び出されるのでしょうか。タスクリストを見てみると、調査結果をまとめたり、最終的にレポートを生成したりするために、text_completionスキルが呼び出されています。このtext_completionスキルの動きを具体的に見てみると、上で示したようなプロンプトを用いて文書を生成していることがわかります。非常にシンプルですが、タスクの完了に必要な情報を入力情報とするようなプロンプトになっていることがわかります。他のスキルも同様に、AIエージェントから渡された入力情報を基に事前に用意された処理を実行する形になっています。

AutoGPTで利用できるコマンド

次に、AutoGPTを例にとって見てみましょう。AutoGPTでは、「行動（Action）」のことをコマンドと呼んでいるため、ここではコマンドと呼びます。2023年11月時点のAutoGPTで呼び出せるコマンドは、次ページの表の通りです。

カテゴリ	コマンド名	説明
ファイル操作	open_file	編集や読み込みのためにファイルを開く
	open_folder	フォルダを開く
	read_file	ファイルシステム内のファイルを読み込む
	write_file	ファイルシステムにファイルを書き出す
ユーザー	get_user_input	ユーザーからの入力を受け取る
	display	ユーザーにテキストを表示する
コード実行	exec_code	プログラミング言語で書かれたソースコードを実行し、結果を返す
	system_command	システムコマンドを実行する
データ生成	generate_image	画像を生成する
情報検索	search	Web検索をする
	google	GoogleでWeb検索をする
	selenium	Seleniumを用いてWeb検索をする
その他	clone_repository	GitHubからリポジトリをクローンする

AutoGPTで利用できるコマンド

「計画（Planning）」でのAutoGPTの実行例でも、たびたびコマンドという名称が出てきていました。再掲になりますが、次のようなタスク分解の結果として登場していたのを覚えていますでしょうか。タスクに対して完了に必要なコマンドが割り当てられているところに、BabyAGIとの共通点が見受けられますよね。

仮説に基づくタスク分解（122ページの再掲）

- 「google」コマンドを使用して、AIで対処可能な一般的なビジネス課題を検索する。
- 検索結果を分析し、潜在的な課題を特定する。
- これらの課題に対するAIベースのソリューションを策定する。

AIエージェントが呼び出せる行動によって可能性が広がる

本章では計画、行動という順でAIエージェントの要素を確認してきたため、計画があって行動があるように思われるかも知れません。しかし、実際にAIエージェントによってタスクを完了させるためには、AIエージェントが利用できる行動の範囲で上手く計画を考える必要があるため、行動のバリエーションがAIエージェントの取り得る動きを左右します。つまりAIエージェントが呼び出せる行動のバリエーションが、AIエージェントの可能性そのものになるのです。

BabyAGIやAutoGPTが利用できるスキルやコマンドを見てわかるのは、行動の内容そのものはAIの利用に限らないということです。例えばウェブ検索であれば、ウェブ検索に利用するキーワードはAIで生成したものかも知れませんが、その先のウェブ検索の実行はプログラミングコードによって行います。BabyAGIではGoogle JobsのAPIを利用して求人検索をするスキルが搭載されていますが、これも中身はプログラミングコードによりGoogle JobsのAPIを呼び出しているだけです。**つまりAIエージェントの「行動（Action）」を構成する技術は、一般的なソフトウェア開発のものとまったく同じ**だということです。

このことが示唆するのは、AIエージェントそのものの設計については専門的な知識が必要なために人員を集めるハードルが比較的高いものの、AIエージェントの機能拡充については一般的なソフトウェア開発の技術を応用することができるため、比較的そのハードルが低いということです。

では、機能拡充のハードルが比較的低いという事実は何をもたらすのでしょうか。それは、AIエージェントを各社のシステムに統合するために、まったくオリジナルのAIエージェントを作る必要がなくなるということです。コアとなる既存のAIエージェントの仕組みを利用した上で、例えばその会社独自のデータを抽出してくるような「行動（Action）」を開発して「計画（Planning）」に組み込んであげれば動作するということです。つまりAIエージェントをビジネスで利用するための難易度は、もちろん狙った成果を出すためには多くの工夫が必要ではありますが、オリジナルでAIを作らなければならないような難易度ではないということです。ここまでAIエージェントの仕組みがわかってくると、AIエージェントを具体的に導入する際の解像度も上がってくるのではないでしょうか。

エージェントがエージェントを呼び出す

先ほどは「行動（Action）」のバリエーションを広げることでAIエージェントの可能性も広がるというお話をしましたが、このバリエーションとしてAIエージェントから別のAIエージェントを起動することで、より高度なタスク実行を実現しようという動きがあります。

このような動きを主導しているのが、FoundryLabsというチェコを拠点とするAIエージェントのスタートアップです。FoundryLabsは、開発者がオリジナルのAIエージェントを運用するためのE2Bというクラウドプラットフォームを開発しており、このプラットフォーム上でAIエージェントを動かすための規格として「エージェントプロトコル」という規格を策定し、普及のための活動を行っています。本書で紹介しているAutoGPTも、このエージェントプロトコルに準拠しています。

ＡＩエージェント同士がコミュニケーションできると何が嬉しいのでしょうか。例えば前の章では、ＡＩエージェント同士が協働しながらソフトウェアを開発するChatDevという事例を紹介しました（63ページ参照）。ChatDevでは、プログラマーやデザイナーといった異なる役割を持ったＡＩエージェントがそれぞれの役割に従って相互にディスカッションやレビューを行うことによって、開発するソフトウェアの品質を高めていました。BabyAGIやAutoGPTは汎用的な1つのＡＩエージェントとして動作していましたが、ChatDevを踏まえると、**より発展した未来として、特定の業務に特化したAIエージェント同士が協働しながら大きなタスクをこなしていく姿が想像できます。**このような未来像を考えたときに、チームとしてのＡＩエージェントを開発する際に、各役割を担うＡＩエージェントを毎回ゼロから作り上げていくのでは効率が悪く、過去に開発したＡＩエージェントもアセットとして活かしながらＡＩエージェントチームを開発したいと思うのは当然の成り行きではないでしょうか。

またＡＩエージェントの規格化は、ＡＩエージェント同士の連携を容易にするだけでなく、開発プロセスの生産性を向上させることにも繋がります。運用構成を共通化することによって運用に関わる人的コストの削減も実現できますし、テスト観点が明確になるため品質保証上のメリットもあります。

しかし、ＡＩエージェントの利活用そのものがまだ黎明期である現在において、ＡＩエージェントの規格化は時期尚早ではないかという意見もあります。規格化のメリットは大きい一方で、まだまだ開発としてはより良い方法を模索していくことになりそうです。

まとめ

- AIエージェントは「個性（Profile）」「記憶（Memory）」「計画（Planning）」「行動（Action）」の４つの要素で構成される。
- 個性はAIエージェントの行動に一貫性を持たせるために必要である。個性を定める観点には「属性」「性格」「社会的立場」がある。
- 記憶には短期記憶と長期記憶があり、短期記憶は状況や文脈判断、長期記憶は過去の経験を活かした高次の判断のために用いられる。
- コンピューターの仕組みを利用した記憶方式を実現する技術として、表形式のような構造化データや、テキストデータや画像といった非構造化データを扱うための検索技術がある。
- 計画にはリフレクション（①）、タスク分解（②）、その組み合わせのアプローチ（①＋②）がある。計画には個性、記憶、行動が大きく影響する。
- 行動ではウェブ検索やAPI連携など、通常のソフトウェア開発と同じ技術を使う。行動のバリエーションを増やすことで、AIエージェントの可能性が広がる。
- AIエージェント同士が連携することで、より高度なタスク遂行ができるようになる可能性があり、そのための標準化を進める団体も出てきている。

第 4 章

AIエージェントを体験する

本章では、「Cognosys」と「aomni」という、AIエージェントを活用した2つのプロダクトを例として、AIエージェントへの理解を深めていきます。理解を深めることが目的のため、操作方法の詳細な説明というよりかは、AIエージェントを活用したプロダクトの使用感を誌面上で追体験していただくことに主眼を置いています。本章で紹介した機能や操作フローは頻繁に変更される可能性があるので、最新の情報は各プロダクトの公式ページをご確認ください。

自動的なリサーチを支援してくれる「Cognosys」

Cognosysは、日常生活でのタスクや業務でAIエージェントを簡単に扱えるようにすることを目指したプラットフォームで、2023年4月にβバージョンとして公開されました。2023年5月にはGoogle Venturesを中心としてシードラウンドで200万ドルを調達しており、投資家の中にはBabyAGIで有名なYohei Nakajima氏がパートナーを務めるUntapped VCも名を連ねています。2023年7月にはこれまでのユーザーフィードバックを踏まえた大規模なアップデートが実施され、AIエージェントについてあまり慣れ親しんでいないユーザーにとってもわかりやすい操作画面に改善されました。

ロードマップでは、AIエージェントから外部ツールを扱えるようにし、多様なタスクに対応していけるようにする予定とのことですが、現在できるのはインターネット上のリソースを利用しての調査です。第1章でご紹介したGPT Researcher（22ページ参照）のようなイメージです。単なる調査であればChatGPTでもプラグインを活用することで可能ですが、ChatGPTとの差別化ポイントとしてCognosysは、「システマティックな問題解決」を挙げています。

Cognosysでは、ユーザーからの依頼に対して、タスク分解をするアプローチで問題を解決します。そして、分解した個々のタスクの内容に応じて適切なAIエージェントを生成し、タスクを完了させ

フリープラン	プロプラン
$0	$12/月（年払い）、$15/月（月払い）
月あたり50回の実行	月あたり500回の実行
1回の実行あたり最大1ドキュメントの読み込み	1回の実行あたり最大10ドキュメントの読み込み
1件のスケジュール実行	10件のスケジュール実行

Cognosysの料金プラン（2023年11月現在）

ます。分解されたタスクがどのようなAIエージェントによってどのように実行されているかといった、一連の思考や動作の過程がユーザーからわかるようになっているため、AIの動作がブラックボックス化せず、安心して利用できるということをメリットとして掲げています。

2023年11月現在の料金プランには、フリープランとプロプランが用意されています。それぞれ利用できる機能と料金は、上の表の通りです。

Cognosysの利用方法

2023年9月1日時点の操作方法、画面図を掲載します。最新の情報は、公式ページをご確認ください。

それでは、Cognosysの動作を体験してみましょう。まず、次のURLにアクセスします。

https://www.cognosys.ai/

するとCognosysサービスサイトのトップページが開くので、画面右上の「SIGN UP」からユーザー登録を始めます（画面図①）。ユーザー登録で

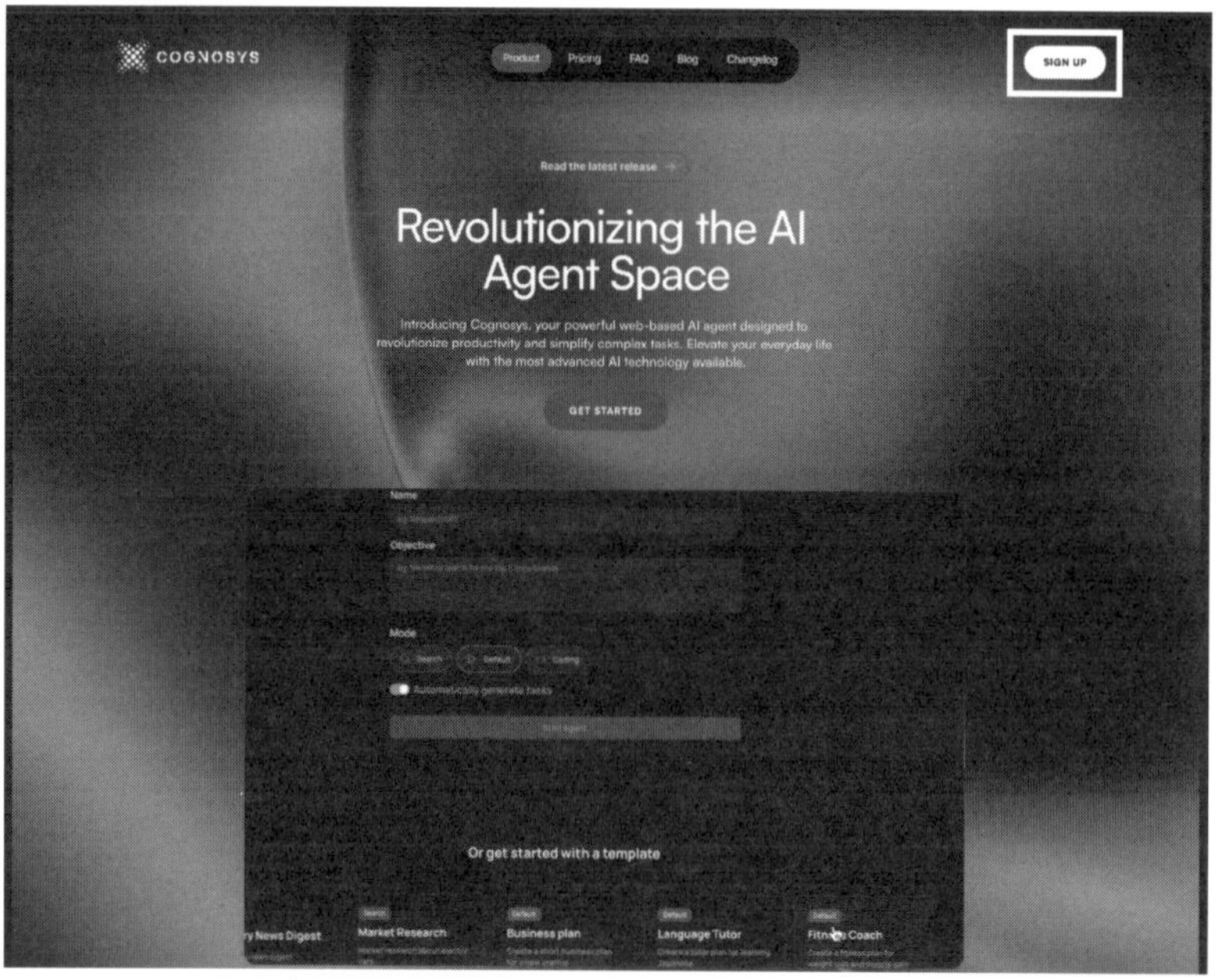

画面図①　トップページ

は、Googleアカウントと連携する方法か、メールアドレスとパスワードを設定する方法を選択できます（画面図②）。いずれかを選択して次に進みます。

ユーザー登録が完了すると、Cognosysにログインした状態になります。ログイン後のトップページでは早速「Create your agent」（エージェントを作成する）という画面になりますので（画面図③）、試しにエージェントを作成してみます。

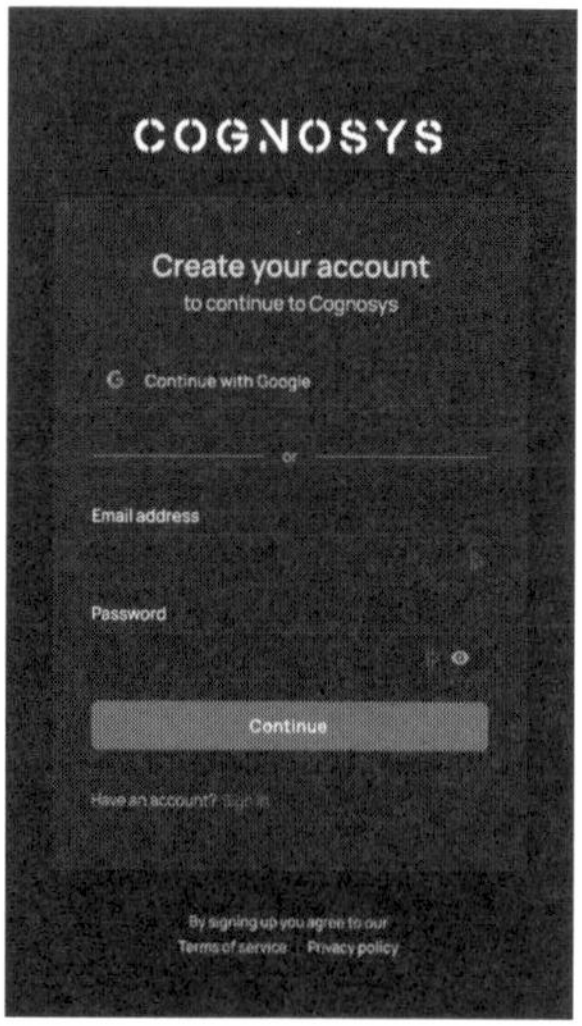

画面図②　ユーザー登録

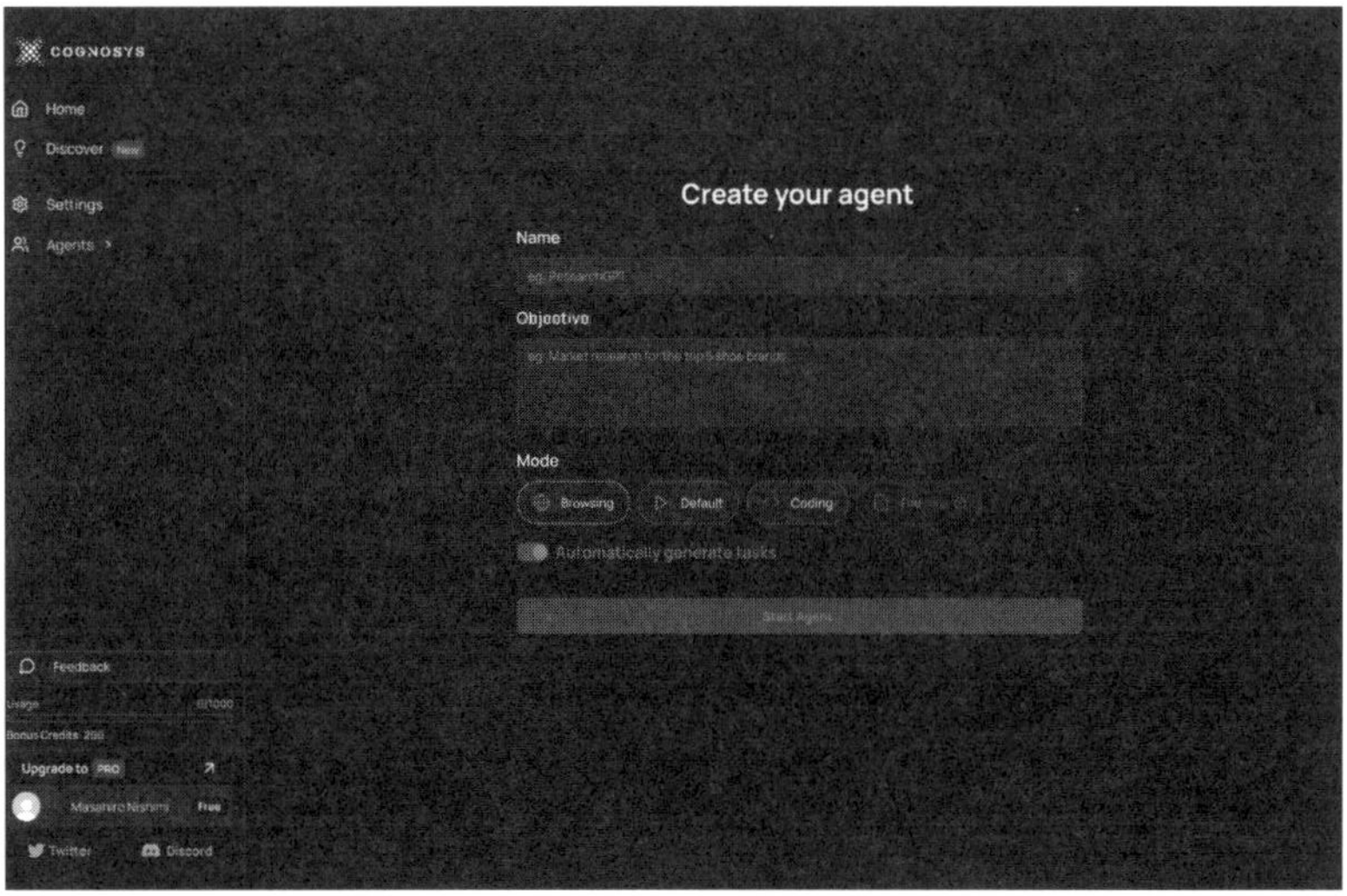

画面図③　「Create your agent」の画面

Cognosysではエージェントを作成するにあたって、名前とエージェントの目的を設定する必要があります。作成したエージェントは、設定した目的を達成するために動き続けます。

また、エージェントのモードとして、次の4つのモードを選択できます。

エージェントのモード

・Browsing（ブラウジング）：インターネット検索を活用するモード
・Default（デフォルト）：インターネット検索をせず、AIの思考だけでタスクを進めるモード
・Coding（コーディング）：プログラミングコード生成に特化したモード
・File（ファイル）：アップロードしたファイルの内容をもとにタスクを進めるモード（※有料版のみ）

Research the current market for AI agents, what is the market size, key products, and key challenges.

訳：AIエージェントの現在のマーケットについて、市場規模や主要なプロダクト、主要な課題が何かを調査してください。

目的として設定した文章

Find the current market size for AI agents
訳：現在のAIエージェントの市場規模を調査する
Identify key products in the AI agent market
訳：AIエージェント市場における主要なプロダクトを明らかにする
Research the main challenges in the AI agent market
訳：AIエージェント市場における主要な課題を調査する
Summary of the AI agent market
訳：AIエージェント市場に関する情報を総括する

エージェントによるタスクの分解結果

ここではBrowsingモードを選択し、ＡＩエージェントの市場調査を目的とした「AI Agent Researcher」を作成します。目的に設定した文章は、上に示した通りです。なお、現時点では、日本語では上手く動作しないため、英語で目的を設定しています。

エージェントの名前と目的を設定した後に「Start Agent」ボタンをクリックすると、いよいよエージェントが動き出します。ＡＩエージェント市場の調査に対して、エージェントは「エージェントによるタスクの分解結果」のようにタスクを分解しました（画面図④）。

タスクを分解した後は、それぞれのタスクについて、インターネット上の調査を含めて進捗していきます（画面図⑤）。最後に、それぞれのタスクの実行結果について見てみましょう。１４４ページからは、英語で表示された結果をChatGPT（GPT-4）で日本語に翻訳したものを掲載します。

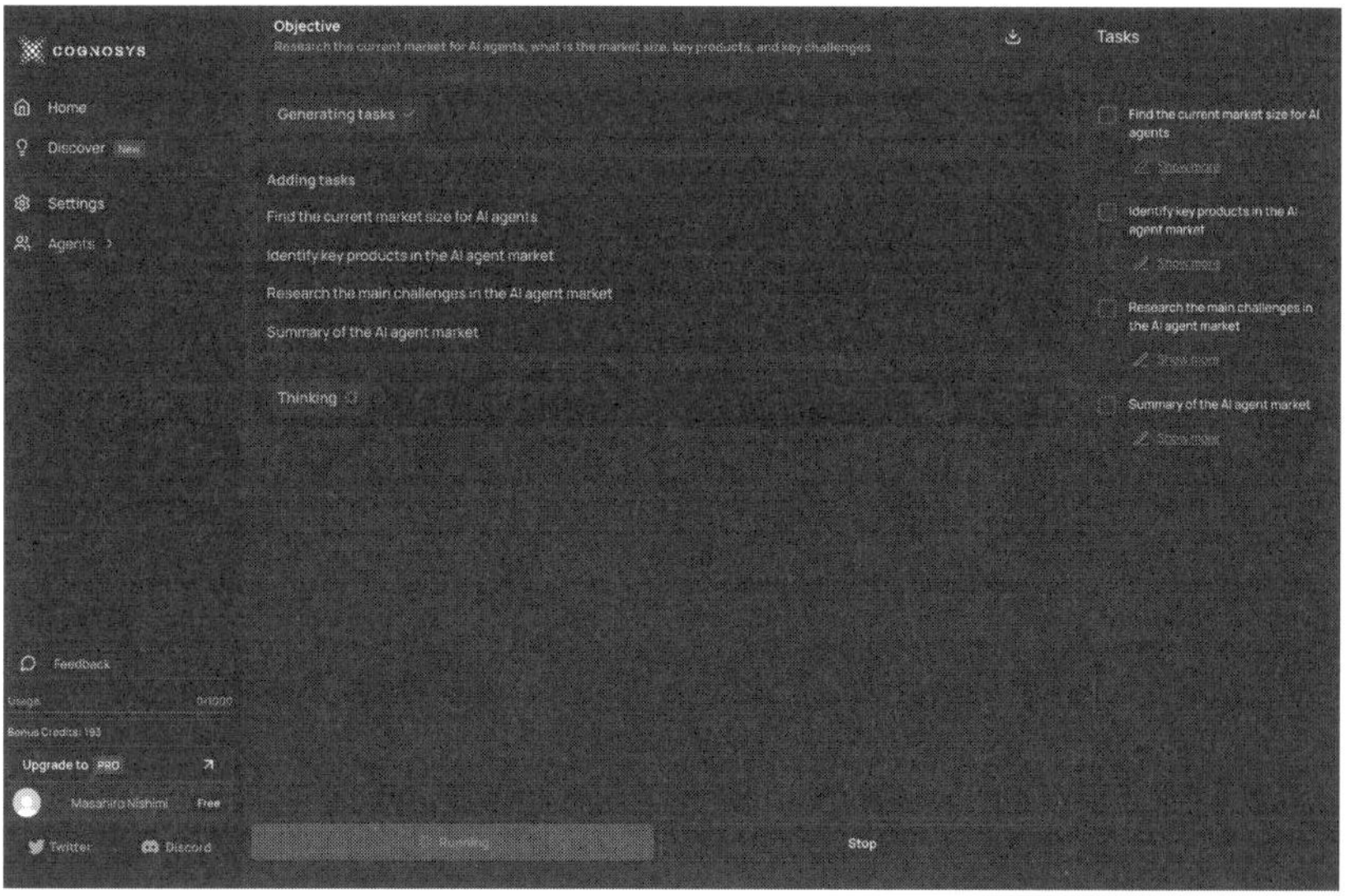

画面図④　エージェントによるタスクの分解

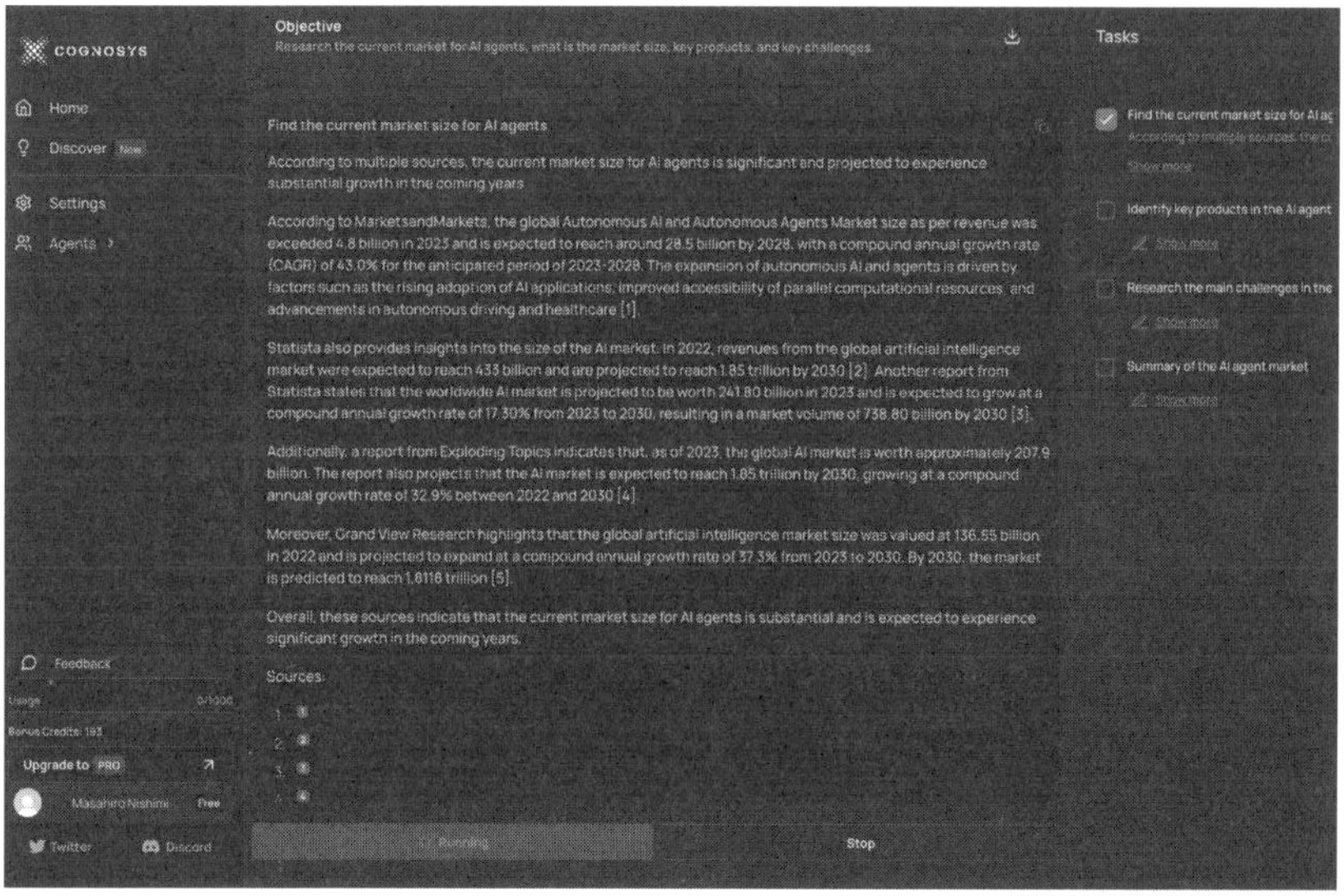

画面図⑤　それぞれのタスクの進捗

AIエージェントの現在の市場規模は、非常に大きいとされています。情報源によると、自律AIおよび自律エージェントの全市場規模は、2023年には48億ドルと評価されています[1]。2028年までには約285億ドルに達する見込みであり、2023年から2028年の予測期間中の複合年間成長率（CAGR）は43.0%です[1]。

また、世界の人工知能市場は、2023年には約2079億ドルに達すると予測され、2030年には1兆8500億ドルに達すると見積もられています。これは年間で17.3%の成長率を示しています[2]。AI市場は、2021年以降に倍増以上の成長を見せ、今後も急速に拡大すると予想されています。

さらに、AI市場は2022年から2030年までの間に複合年間成長率32.9%で成長すると予測されています。2030年までには、市場規模は2023年の約9倍、つまり1兆8500億ドルに達すると予想されています[3]。

AI市場の成長は、さまざまな要因によって推進されています。医療、金融、交通、製造など、多様な領域でのAIアプリケーションの採用増加が、一つの重要な要因です[1]。ビッグデータの利用可能性、コンピューティングパワーとクラウドインフラの進展、自動化と最適化への需要も、成長に貢献しています[3]。さらに、テクノロジー企業、研究機関、政府間の投資と提携も、革新を促進し、AI業界の成長を牽引しています[4]。

AI市場は特定の地域に限定されているわけではありません。現在、北米が最大の市場であり、2023年には300億ドル以上の評価がされています。これに次ぐのはアジア太平洋地域とヨーロッパです[5]。しかし、2025年までには、北米市場が500億ドルを超えると予測されており、顕著な成長が見込まれています[5]。

総括すると、AIエージェントの現在の市場規模は大きく、今後数年で顕著な成長が期待されています。全世界のAI市場は、何十億ドルと評価されており、2030年までには何兆ドルに達する見込みです。複合年間成長率は30%から43%の範囲です

[1] Autonomous AI and Autonomous Agents Market Statistics
https://www.marketsandmarkets.com/Market-Reports/autonomous-ai-and-autonomous-agents-market-208190735.html
[2] Artificial intelligence (AI) market revenues worldwide in 2020 and forecasts from 2021 to 2023
https://www.statista.com/statistics/694638/worldwide-cognitive-and-artificial-intelligence-revenues/

[3] Artificial Intelligence - Worldwide
https://www.statista.com/outlook/tmo/artificial-intelligence/worldwide
[4] Artificial Intelligence Market Size, Share & Trends Analysis Report By Solution, By Technology (Deep Learning, Machine Learning), By End-use, By Region, And Segment Forecasts, 2023 - 2030
https://www.grandviewresearch.com/industry-analysis/artificial-intelligence-ai-market
[5] Artificial Intelligence Market Size, Share & Trends Analysis Report By Solution, By Technology (Deep Learning, Machine Learning), By End-use, By Region, And Segment Forecasts, 2023 - 2030
https://www.grandviewresearch.com/industry-analysis/artificial-intelligence-ai-market

「現在のAIエージェントの市場規模を調査する」タスクの実行結果（ChatGPT（GPT-4）による翻訳）
※ [5]の内容が重複しているのは誤植ではなく、Cognosysの出力をそのまま表記しているため。

AIエージェント市場は急速に拡大しており、さまざまな産業や用途に対応するAIソフトウェア製品とプラットフォームが提供されています。

1. Viso Suiteプラットフォーム: Viso Suiteは、エンドツーエンドのコンピュータビジョンアプリケーションプラットフォームであり、AIビジョンアプリケーションを開発、デプロイ、スケーリング、およびセキュリティ確保するためのソフトウェア基盤を提供します[2]。データ収集、画像注釈、モデル訓練、アプリケーション開発、および監視などの機能を提供します。Viso Suiteは、医療、金融、顧客サービスを含むさまざまな産業で大企業に使用されています。

2. ChatGPT: ChatGPTは、OpenAIによって開発された大規模な言語モデルチャットボットです。大量のコードやインターネットからの情報に基づいて訓練されており、対話的なダイアログを行い、人間らしい応答を提供することができます[2]。ChatGPTは、コミュニケーションプラットフォーム、仮想アシスタント、顧客サービス担当者で幅広く採用されています。

3. Auto GPT: Auto GPTは、広範なコーディング知識なしでカスタムチャットボットを作成できるユーザーフレンドリーなAIエージェントです。繰り返しのタスクを自動化し、顧客の問い合わせに対応することで、業界全体での顧客サービスと生産性を高めます[3]。

4. ChartGPT: ChartGPTは、データ可視化に焦点を当てたAIエージェントです。生のデータを視覚的に魅力的でインタラクティブなチャートやグラフに変換し、ユーザーが複雑なデータセットを探索および分析することを可能にします[3]。

5. ChatGPT Danger: ChatGPT Dangerは、ユーザーの安全を最優先するAIエージェントです。有害または攻撃的なコンテンツの拡散を防ぐフィルタリング機構が備えられており、ポジティブで安全なオンライン環境を作り出します[3]。

これらは、市場で入手可能なAIエージェントのほんの一例です。AIエージェントの状況は常に進化しており、新しい進展や技術が定期的に登場しています。AIエージェントの採用により、強化された意思決定、生産性の向上、顧客サービスの改善、リスクの削減、コスト削減、およびデータへのアクセスが提供されます[1][2][3]。これらのエージェントは、さまざまな産業を革命化し、私たちが技術と対話する方法を変えています。

さらに、AgentGPT、GPTConsole、Fini AI、Spell、Aomni、Auto-GPT、BabyAGI、AiAgent.app、Fine-Tuner.ai、SuperAGI、MetaGPT、Yellow.ai、Godmode、E42、Percept.AI、Thankful、Aktify、TeamSmart AI、BrainstormGPTなど、市場には他にも注目すべきAIエージェント製品があります[1][2][3]。

AIエージェント市場は非常にダイナミックで、継続的に進化しています。新しい製品や技術が登場する可能性があり、既存のものがアップデートや強化を受けるかもしれません。したがって、AIエージェント市場の最新の動向に常に注目することが推奨されます。

[1] Best AI Agents of 2023
https://slashdot.org/software/ai-agents/
[2] The 13 Most Popular AI Software Products in 2023
https://viso.ai/deep-learning/ai-software/
[3] Unveiling the Power of AI Agents: Top 5 Most Popular AI Agents in 2023
https://medium.com/@Illasoft/unveiling-the-power-of-ai-agents-top-5-most-popular-ai-agents-in-2023-3de4420a18431

▲「AIエージェント市場における主要なプロダクトを明らかにする」タスクの実行結果（ChatGPT（GPT-4）による翻訳）

AIエージェント市場で直面する主な課題は以下のとおりです：

1. 倫理的懸念：AIエージェントの使用は、プライバシー、バイアス、透明性、および説明責任に関する倫理的な問題を提起します。AIエージェントが倫理的な方法で開発および展開されることを確保するためには、慎重な検討と規制が必要です。

2. データの品質と可用性：AIエージェントの効果性は、データの品質と可用性に大いに依存します。特にデータが限られているか敏感な産業では、高品質で関連性と多様性のあるデータを入手することが難しい場合があります。

3. ドメイン知識の不足：AIエージェントは、ユーザーの問い合わせに効果的に理解し対応するために、ドメイン固有の知識を持つ必要があります。特に急速に進化している分野やニッチな産業では、正確で最新のドメイン知識を取得することが困難です。

4. 技術的制限：大きな進展があるにもかかわらず、AIエージェントは自然言語理解、文脈の理解、複雑な問い合わせの処理などで技術的な制限に直面しています。これらの制限を克服して、より正確で精確な応答を提供することは、進行中の課題です。

5. 信頼とユーザーの受け入れ：AIエージェントへの信頼を築き、ユーザーの受け入れを得ることが課題です。ユーザーは、重要なタスクにAIエージェントを依存することに懐疑的であり、AIエージェントの信頼性、セキュリティ、プライバシーに対する懸念がユーザーの採用に影響を与える場合があります。

6. 規制と法的な考慮事項：AIエージェントの使用は、しばしば規制および法的な考慮事項を提起します。データプライバシー、知的財産、責任、安全に関連する規制に準拠することは、AIエージェントを開発および展開する際に組織が検討する必要がある課題です。

7. コストとリソースの制約：AIエージェントの開発、実装、および維持は、リソースが集中的で費用がかかる場合があります。組織は、専門知識とインフラの両方の面で必要なリソースを効果的に割り当てる際に課題に直面する可能性があります。

8. 既存のシステムとの統合：AIエージェントを既存のシステムとプロセスに統合することは、特に複雑なIT環境では課題となる場合があります。レガシーシステム、データベース、APIとのシームレスな統合と相互運用性を確保することは、技術的な障壁です。

これらの課題に対処するには、技術的専門知識、倫理的な考慮、規制順守、およびユーザー教育と受け入れの組み合わせが必要です。AIエージェント市場で活動する組織が、これらの課題を軽減するために積極的であることが、AIエージェントの全潜在能力を引き出すために重要です。

▲「AIエージェント市場における主要な課題を調査する」タスクの実行結果（ChatGPT（GPT-4）による翻訳）

AIエージェント市場は、2023年時点での現在の全世界の市場価値が48億ドルであり、大きな市場が予想されています。2028年には約285億ドルに達すると見込まれており、2023-2028年の予測期間中に年間複合成長率（CAGR）43.0%で成長するとされています。また、全世界のAI市場も、2023年には2079億ドルに達すると予測されており、2030年には1.85兆ドルに達すると見積もられています。これは年間17.3%の成長率を示しています。さらに、AI市場は2022年から2030年までの間に年間複合成長率（CAGR）32.9%で成長し、2030年には1.85兆ドルの市場価値に達すると予想されています。

AIエージェント市場は、さまざまな産業やアプリケーションに対応する多種多様な製品を提供しています。主なAIエージェント製品としては以下のものがあります：

1. Viso Suiteプラットフォーム：Viso Suiteは、AIビジョンアプリケーションを開発、展開、拡大、保護するためのソフトウェア基盤を提供するエンドツーエンドのコンピュータビジョンアプリケーションプラットフォームです。このプラットフォームは、医療、金融、カスタマーサービスなどの産業で大企業によって使用されています。

2. ChatGPT：ChatGPTは、OpenAIによって開発された大規模な言語モデルチャットボットです。対話型の対話に参加し、人間らしい応答を提供します。通信プラットフォーム、仮想アシスタント、カスタマーサービス担当者などで広く採用されています。

3. Auto GPT：Auto GPTは、多くのコーディング知識なしにカスタムチャットボットを作成できるユーザーフレンドリーなAIエージェントです。繰り返しのタスクを自動化し、カスタマーからの問い合わせを処理して、さまざまな産業でのカスタマーサービスと生産性を高めます。

4. ChartGPT：ChartGPTは、データ可視化に特化したAIエージェントです。生データを視覚的に魅力的でインタラクティブなチャートやグラフに変換し、ユーザーが複雑なデータセットを探索して分析することを可能にします。

5. ChatGPT Danger：ChatGPT Dangerは、ユーザーの安全を最優先にしたAIエージェントです。有害または攻撃的なコンテンツをフィルタリングし、ポジティブで安全なオンライン環境を作成します。

これは市場で利用可能なAIエージェントのいくつかの例に過ぎず、新しい進展と技術で常に進化しています。AIエージェントの採用は、より良い意思決定、生産性の向上、カスタマーサービスの改善、コスト削減、データへのアクセスなどの利点を提供します。

しかし、AIエージェント市場は、プライバシー、バイアス、透明性、説明責任に関する倫理的な問題を含む、さまざまな課題にも直面しています。その他の課題としては、高品質かつ関連性のあるデータの可用性を確保すること、ドメイン固有の知識を取得すること、技術的な制限を克服すること、信頼を築きユーザーの受け入れを得ること、規制と法的な考慮事項に対処すること、コストとリソースの制約を管理すること、既存のシステムとの統合などがあります。

これらの課題に対処するためには、技術的専門知識、倫理的な考慮、規則遵守、およびユーザー教育による受け入れの検討が必要です。

「AIエージェント市場に関する情報を総括する」タスクの実行結果（ChatGPT（GPT-4）による翻訳）

事前設定されたエージェントの利用

ユーザーが自身でエージェントの設定をする他にも、左メニューにある「Discover」から、Cognosysで事前設定されたエージェントを利用することができます。

例えば、「AI News Digest」を選択すると（画面図⑥）、AIに関する最新のニュースを検索して収集してくれるエージェントを利用することができます（画面図⑦）。

事前設定として利用できるエージェントは、151ページの表の通りです。

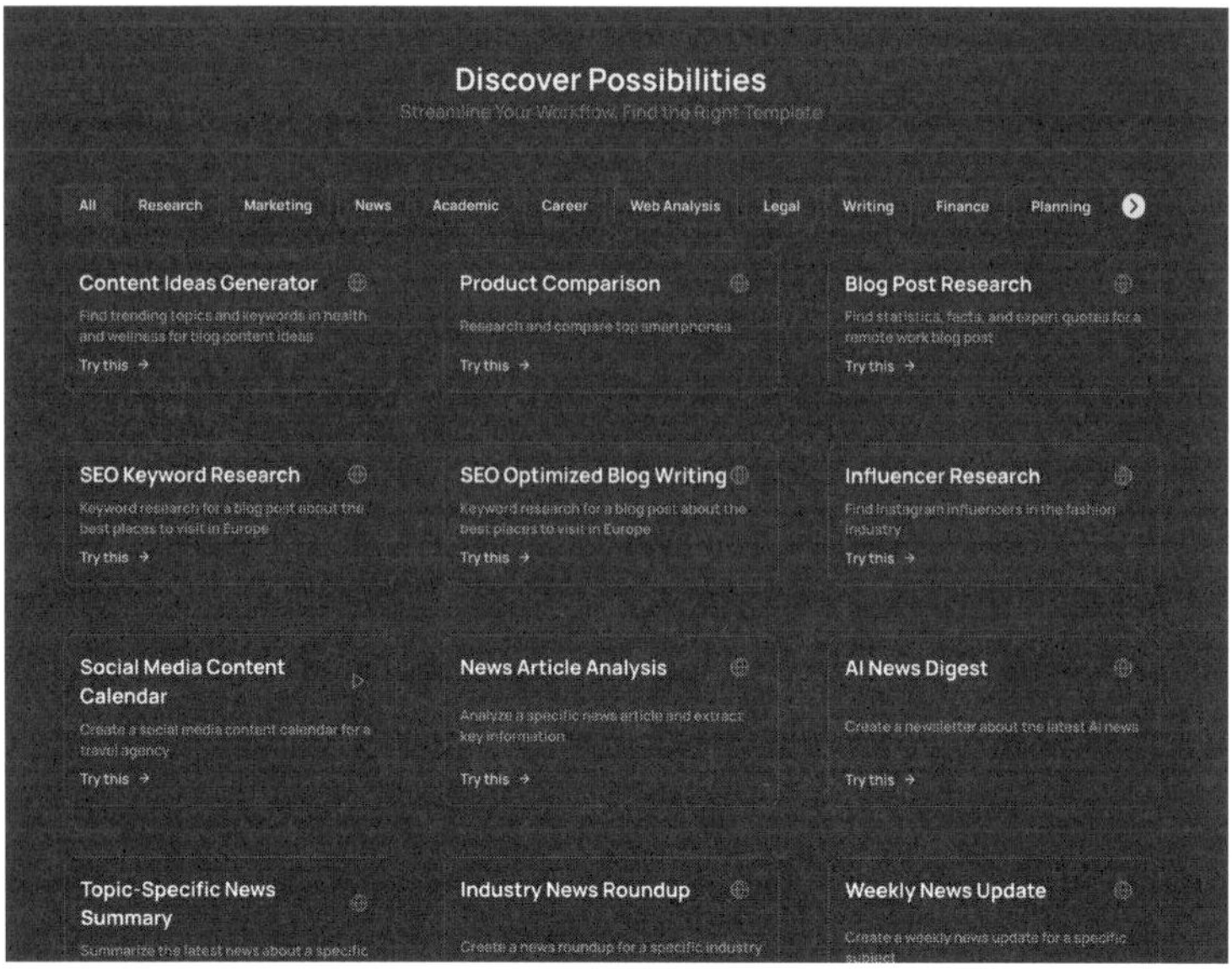

画面図⑥　事前設定されたエージェントの選択

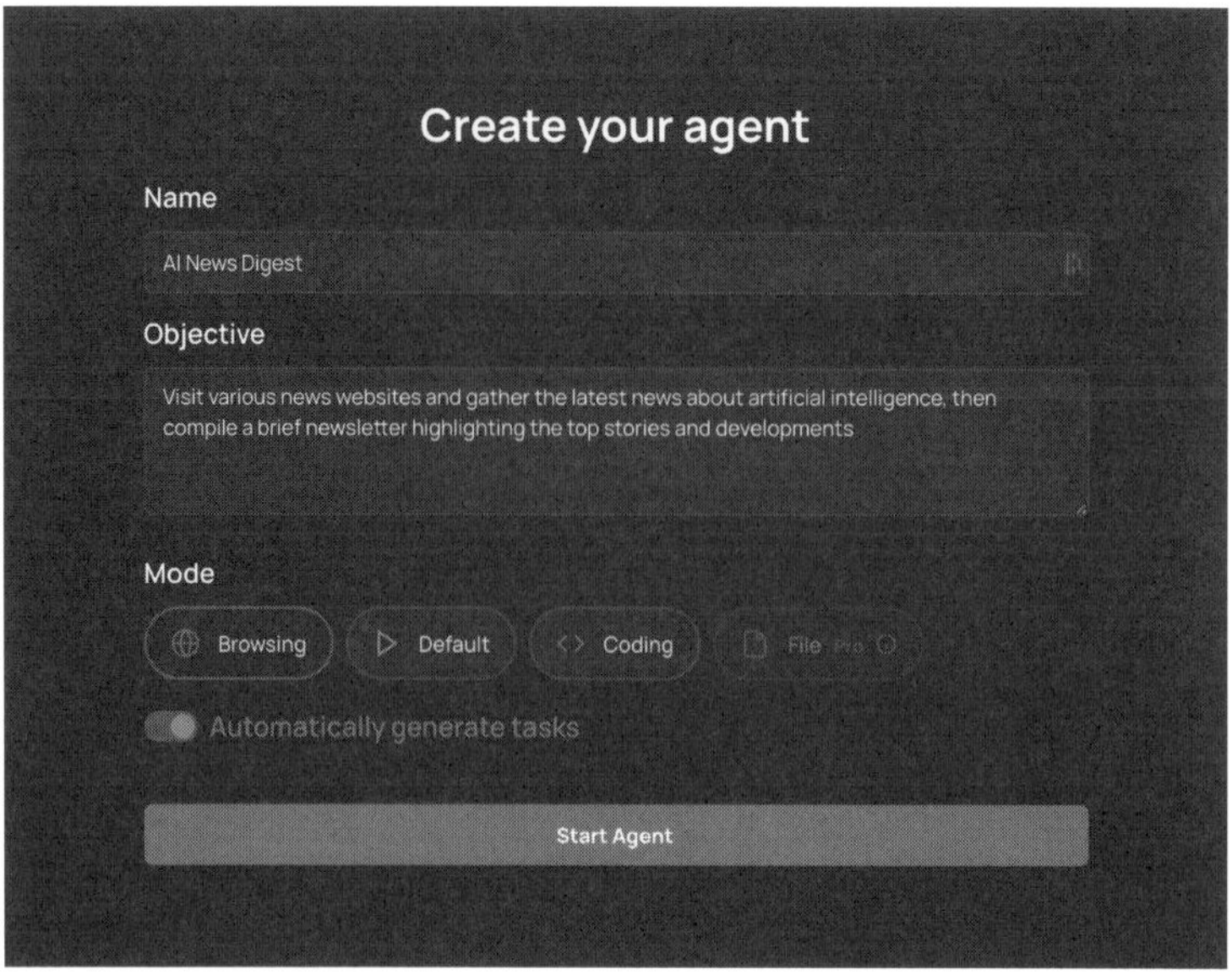

画面図⑦　「AI News Digest」の利用

エージェント名	事前設定されたエージェントの目的
Content Ideas Generator（コンテンツアイデア生成器）	健康とウェルネスのブログコンテンツのためのトレンドトピックを見つける
Product Comparison（製品比較）	トップスマートフォンを調査して比較する
Blog Post Research（ブログポスト調査）	リモートワークのブログ投稿のための統計、事実、専門家の引用を見つける
SEO Keyword Research（SEOキーワード調査）	ヨーロッパで訪れるべき最高の場所に関するブログ投稿のためのキーワード調査
SEO Optimized Blog Writing（SEOブログ記事の作成）	ヨーロッパで訪れるべき最高の場所に関するブログ投稿のためのキーワード調査
Influencer Research（インフルエンサー調査）	ファッション業界のInstagramインフルエンサーを見つける
Social Media Content Calendar（SNSコンテンツカレンダー）	旅行代理店のためのSNSコンテンツカレンダーを作成する
News Article Analysis（ニュース記事分析）	特定のニュース記事を分析し、キー情報を抽出する
AI News Digest（AIニュースダイジェスト）	最新のAIニュースについてのニュースレターを作成する
Topic-Specific News Summary（特定トピックニュース要約）	特定のトピックに関する最新のニュースを要約する
Industry News Roundup（業界ニュースまとめ）	特定の業界のニュースまとめを作成する
Weekly News Update(週間ニュースアップデート)	特定の主題に関する週間ニュースアップデートを作成する
Financial Statement Analysis（財務諸表分析）	アップロードされた財務諸表の財務比率分析
Website Analysis（ウェブサイト分析）	指定されたウェブサイトのコンテンツと構造を分析する
Legal Document Summary（法的文書要約）	アップロードされた法的契約を要約する
Patent Analysis（特許分析）	アップロードされた特許文書を分析する
Event Planning（イベント計画）	ニューヨーク市のイベント会場を見つけて比較する
Product Launch Plan（製品ローンチプラン）	新製品をローンチするための計画を作成する
Research Paper Summarization(研究論文要約)	アップロードされた研究論文を要約する
Grant Proposal Writing（助成金提案作成）	環境保全プロジェクトのための助成金提案を書く
Personal Statement（パーソナルステートメント）	大学出願のためのパーソナルステートメントを書く
Product Description（製品説明）	オーガニックスキンケア製品のための製品説明を作成する
Executive Summary（エグゼクティブサマリー）	ビジネスレポートのためのエグゼクティブサマリーを書く
Case Study（ケーススタディ）	成功した顧客体験についてのケーススタディを書く
Recipe Ideas（レシピアイデア）	健康的な、植物ベースのディナーレシピを見つける
Job Market Analysis（就職市場分析）	ソフトウェアエンジニアのための就職市場を分析する
Resume Evaluation（レジュメ評価）	アップロードされた履歴書に評価とフィードバックを提供する
Django Web App（Djangoウェブアプリ）	オンラインストアのためのDjangoウェブアプリを開発する
WordPress Plugin（WordPressプラグイン）	ソーシャル共有ボタンのためのカスタムWordPressプラグインを作成する
Mobile App UI（モバイルアプリUI）	水分摂取トラッカーのためのモバイルアプリUIを作成する
Chatbot Integration（チャットボットインテグレーション）	ウェブサイトでの顧客サポート用チャットボットを実装する
Angular Web App（Angularウェブアプリ）	プロジェクト管理のためのAngularウェブアプリを開発する
Ruby on Rails API（Ruby on Rails API）	ブログプラットフォームのためのRuby on RailsバックエンドAPIを作成する
Educational Resources（教育資源）	データサイエンス学習のためのオンライン資源を発見する
Sales Pitch（セールスピッチ）	エコフレンドリーな掃除製品のためのセールスピッチを作成する

▲ 事前設定として利用できるエージェント

顧客調査を自動化する「aomni」

Cognosysはどちらかというと、汎用的にAIエージェントを利用するためのプラットフォームでしたが、ここでご紹介するaomniは、顧客営業に必要なリサーチの支援に特化したAIエージェントを提供するプラットフォームです。リサーチという点では共通したものがありますが、より特化した例としてaomniを見ていきましょう。

顧客営業に必要なリサーチとは、一体何なのでしょうか。aomniが描いているAIエージェントの有効なユースケースは、営業担当者が顧客リードに対してその顧客独自の課題などをリサーチし、その調査結果をもとに特定の顧客向け営業資料を作成する一連のワークフローを自動化することです。aomniはこのことを「アカウントインテリジェンス」と呼んでいます。ウェブ上に公開されている企業情報を上手く収集してくることによって、まだあまり関係性を育めていない顧客に対しても効果的な営業資料を作成できるような技術を指します。ターゲットは比較的値付けが高額な10〜30名規模の中堅ＳａａＳ企業であり、実際にターゲット企業に提供したところ、作業担当者の業務時間が１日あたり5時間節約できたというフィードバックがあったとのことです。

２０２３年11月現在の料金プランは、次ページの表の通りです。特定顧客向けの営業資料を月に何件作成できるかで、プランを差別化しています。また、カスタムモデルは言い換えると、aomniの

フリー	プロ	ビジネス	ビジネス+
$0	$49／月	$99／月	$199／月
月3件の顧客向けプランニング	月15件の顧客向けプランニング	月40件の顧客向けプランニング	月100件の顧客向けプランニング
1件のカスタムモデル	1件のカスタムモデル	3件のカスタムモデル	5件のカスタムモデル

aomniの料金プラン（2023年11月現在）

ユーザーが販売したい商材を指します。ユーザーはaomniに商材の情報を詳しく与えることでカスタムモデルを作成し、そのカスタムモデルをもとに指定の顧客向けのプランニングを作成するフローでaomniを活用します。

aomniの利用方法

2023年9月1日時点の操作方法、画面図を掲載します。最新の情報は、公式ページをご確認ください。

それではaomniの動作を体験してみましょう。まず、次のURLにアクセスします。

https://www.aomni.com/

画面中央にある「Register now」ボタンをクリックし（画面図①）、ユーザー登録に進みます。ユーザー登録ではGoogleアカウントと連携する方法か、メールアドレスとパスワードを設定する方法を選択できます。いずれかを選択して次に進むと、利用ユーザーの名前を聞かれます（画面図②）。ここで利用ユーザーの名前を設定すれば、ユーザー登録は完了です。

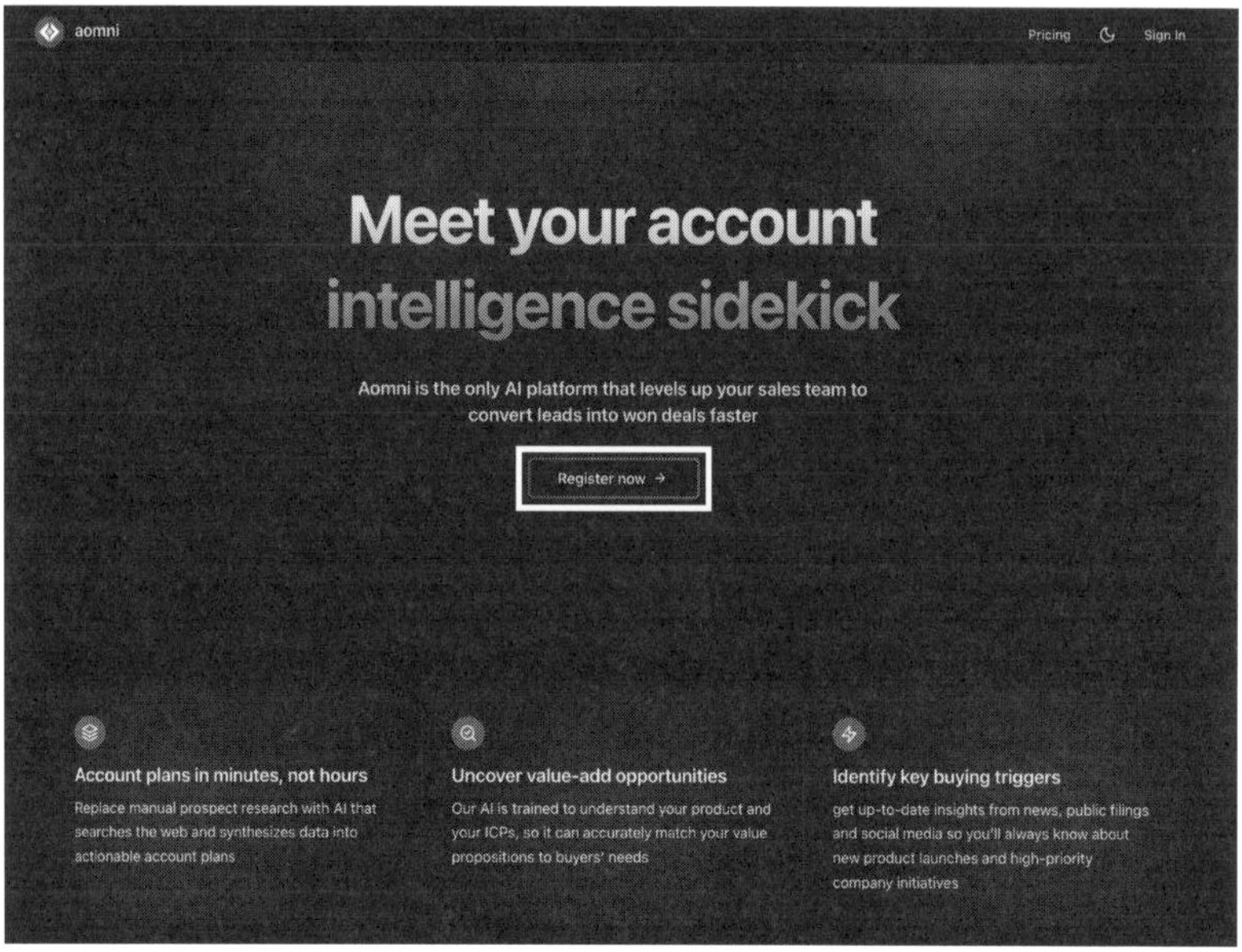

画面図①　トップページ

画面図②　利用ユーザー名の設定

ログインして最初の画面では、まずカスタムモデルを設定するよう促されます。「Train AI sidekick」をクリックして、カスタムモデルの設定画面に進みます（画面図③）。

カスタムモデルの設定画面では、商材となるプロダクトの名前と、プロダクトが紹介されているURLを設定します。このURLから、必要な情報を学習するわけです。ここではサンプルとしてaomniの情報を渡してみます（画面図④）。

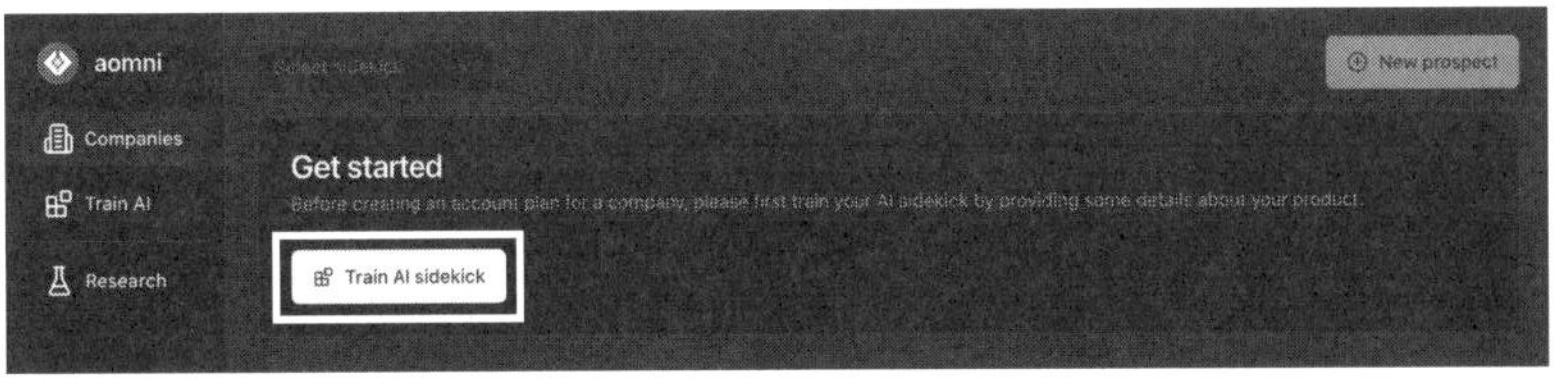

画面図③　ログイン後の画面

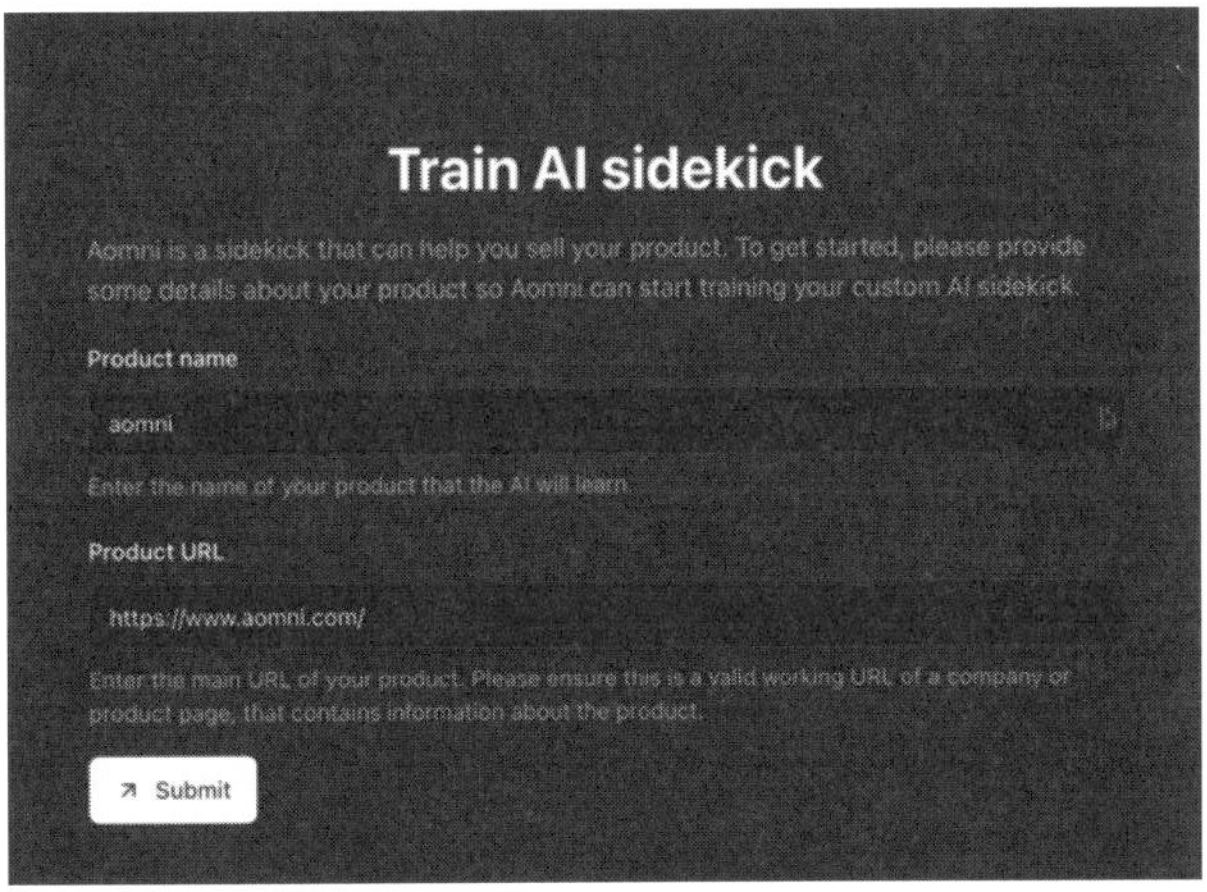

画面図④　プロダクトの名前、プロダクトが紹介されているURLの設定

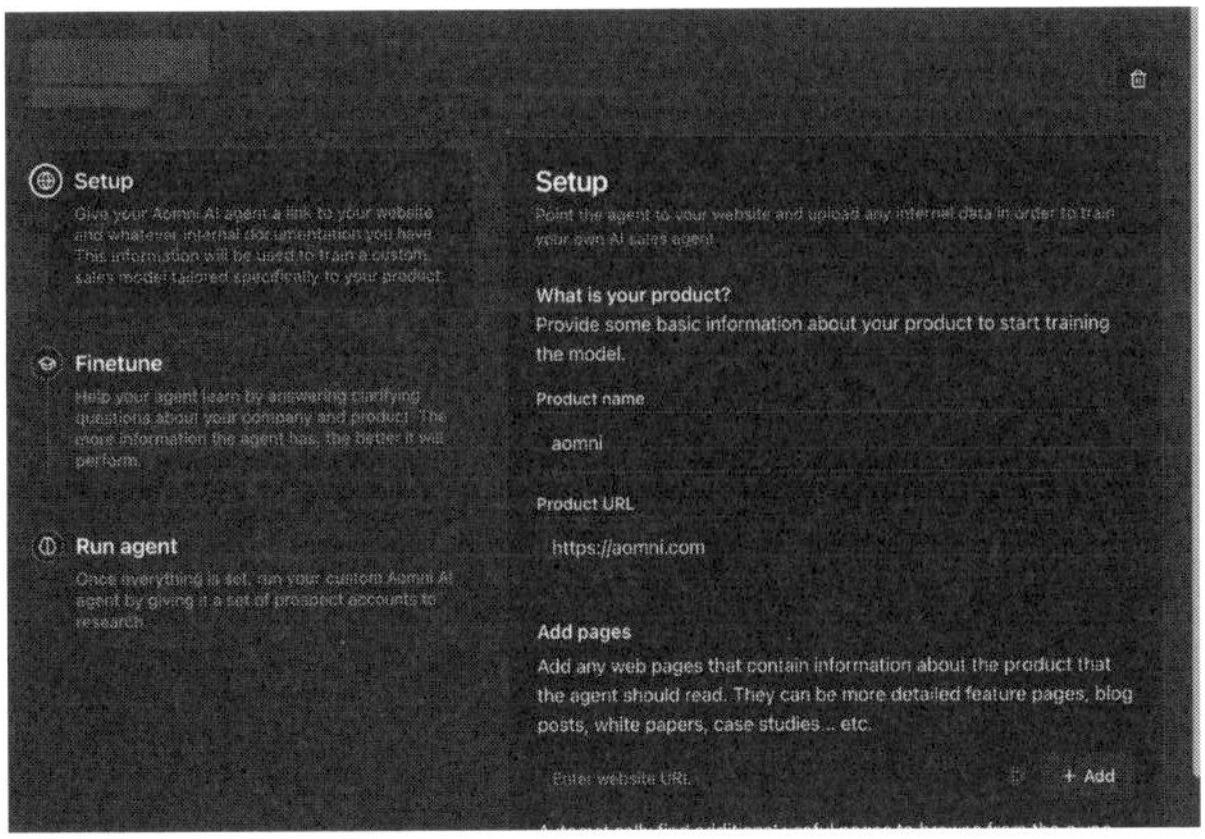

画面図⑤　詳細な内容の設定

プロダクト名とURLを渡して次に進むと、より詳細な内容を設定できる画面へと移動します（画面図⑤）。ここでは、追加で情報源として教えておきたいページのURLや、営業資料などのファイルを設定することができるので、より的確なプランニングを求める場合には設定しておくとよいでしょう。

　画面下部の「Save and process」をクリックすると（画面図⑥）、カスタムモデルのトレーニングが始まり、確認ダイアログが表示されます（画面図⑦）。5～10分するとトレーニングの完了通知がメールで届きます。

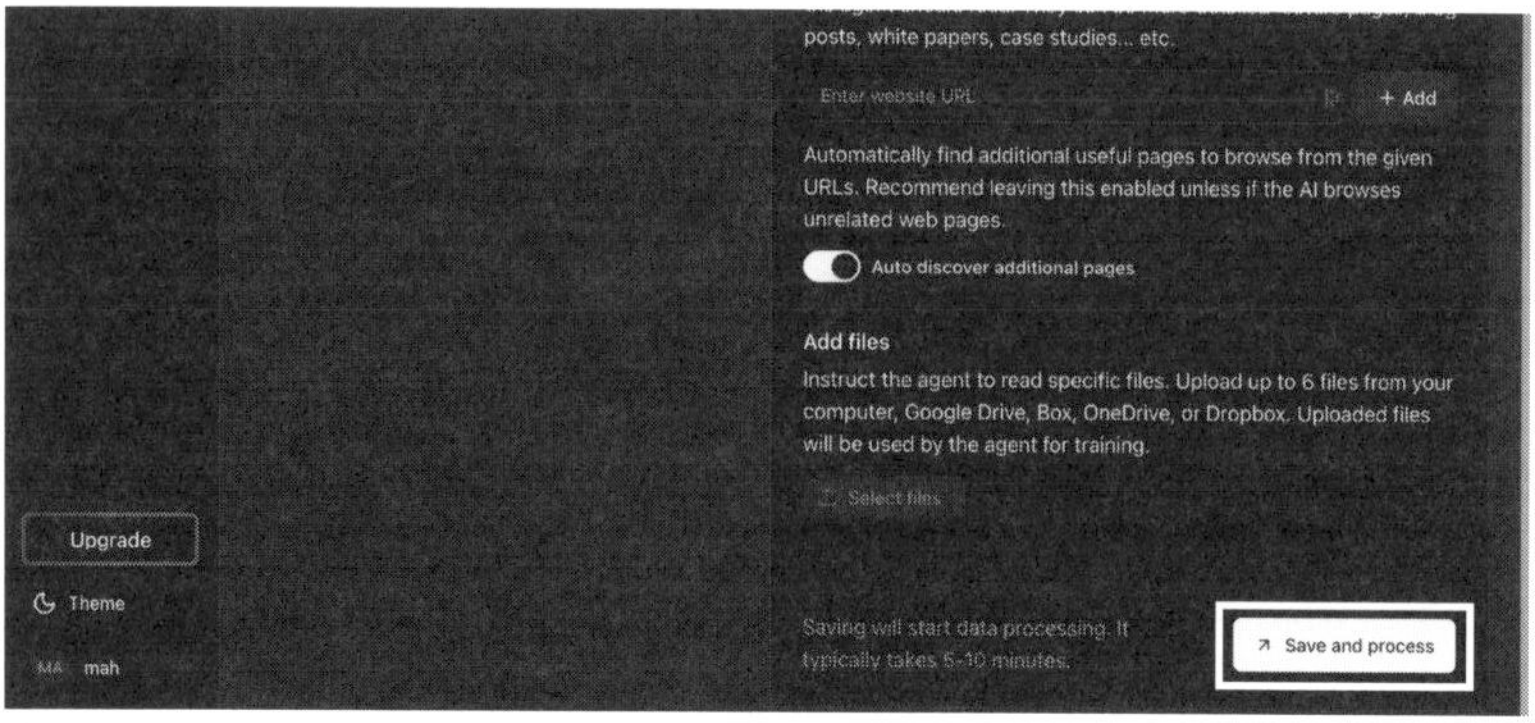

画面図⑥　「Save and process」のクリック

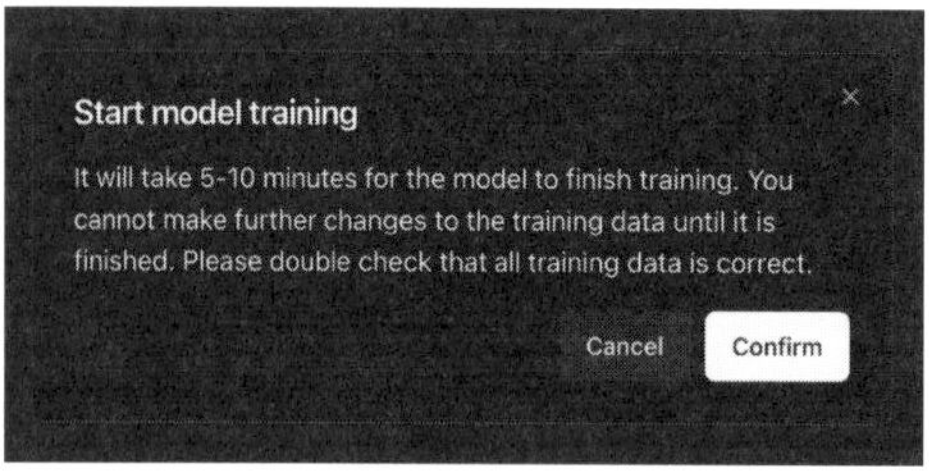

画面図⑦　カスタムモデルのトレーニングの開始

　カスタムモデルのトレーニングが完了すると、微調整（Finetune）のために、さらにいくつかの質問に答えるよう要求されます。これは、カスタムモデルごとに独自の問いが生成されて質問されるものです。aomniを題材にした際には、次ページの問いが表示されました。

　今回はそれぞれの質問への回答のために、ChatGPTで次ページのプロンプトにより文面を作成しました。外部URLを読み込ませるために、ChatGPTプラグイン（BrowserOp）を利用しています。

1. What are the key differentiators of Aomni compared to other AI sales platforms in the market?
訳：市場における他のAIセールス・プラットフォームと比較したaomniの主な差別化要因は何ですか？
2. How does Aomni ensure the accuracy and relevance of the insights it provides to sales teams?
訳：aomniはどのようにして営業チームに提供するインサイトの正確性と関連性を確保しているのでしょうか？
3. What is the learning curve for sales teams to effectively use Aomni and how can we minimize it?
訳：Aomniを効果的に使用するための営業チームの学習曲線はどのようなもので、そのカーブはどのように最小化できるでしょうか？
4. How does Aomni handle data privacy and security, especially considering it gathers information from various sources including social media?
訳：特に、ソーシャルメディアを含むさまざまな情報源から情報を収集していることを考慮すると、aomniはデータのプライバシーとセキュリティをどのように扱っているのでしょうか？
5. What is the feedback mechanism in place for users to report issues or suggest improvements for Aomni?
訳：ユーザーが問題を報告したり、aomniの改善を提案したりするためのフィードバック・メカニズムはどのようになっていますか？

微調整（Finetune）のための質問

aomniというサービスについて、以下の#参考サイトのリストを参照し、次の#質問に答えてください。

参考サイト

* https://www.aomni.com/
* https://e2b.dev/blog/david-zhang-from-aomni-gives-his-view-on-ai-agents

質問

1. What are the key differentiators of Aomni compared to other AI sales platforms in the market?

2. How does Aomni ensure the accuracy and relevance of the insights it provides to sales teams?
3. What is the learning curve for sales teams to effectively use Aomni and how can we minimize it?
4. How does Aomni handle data privacy and security, especially considering it gathers information from various sources including social media?
5. What is the feedback mechanism in place for users to report issues or suggest improvements for Aomni?

#質問には必ず参考サイトにある内容を踏まえ、具体的かつ実践的に答えてください。
それでは始めて下さい。

▲ 質問への回答をChatGPTで作成するためのプロンプト

1. Aomniの主な特長

ユニークな機能:
- ウェブクローリング: Aomniは、ウェブをクロールし、大量の非構造化データを取り込むAIエージェントです。
- 自動化されたリサーチ: ユーザーのリサーチ目標を受け取り、リサーチプランを作成して結果をメールで送信します。
- 時間の節約: Aomniは、リサーチと計画プロセスを自動化することで、営業担当者が毎週10時間以上の時間を節約できます。

ターゲットオーディエンス:
- Aomniは主に、セールス市場のリサーチとアカウントプランニングに使用されます。
- ほとんどのユーザーはAI分野にいないため、エージェント技術については全く知識がありません。

信頼性:
- Aomniは、企業レベルの信頼性に焦点を当て、少なくとも99.9%の信頼性を目指しています。

2. 洞察の正確性と関連性

- パーソナライズされたAIエージェント: Aomniは、アカウントプランニングの煩雑な作業を処理するために、パーソナライズされたAIエージェントを訓練します。
- 高い信頼性基準: Aomniは、99.9%の信頼性を目指しているため、提供される洞察が正確で信頼性があることを保証します。

3. 営業チームの学習曲線

- ユーザーフレンドリー: Aomniは、AI分野にいないユーザー向けに設計されているため、アクセスしやすいです。
- 効率的な時間: 全プロセスは15〜20分で完了し、1日に3回まで無料で使用できます。

学習曲線の最小化:
- トレーニング: 営業チームにプラットフォームに慣れるための短いオンボーディングセッションを提供します。
- ドキュメント: 理解しやすいガイドとFAQを用意します。

4. データプライバシーとセキュリティ

- 具体的な情報なし: 利用可能なコンテンツには、Aomniがデータプライバシーとセキュリティをどのように取り扱っているかについての詳細はありませんでした。

5. フィードバックメカニズム

- Discordコミュニティ: Aomniには、ユーザーが直接コミュニケーションを取ることができるDiscordコミュニティがあります。
- エラーメッセージ: エージェントが失敗した場合、ユーザーは別のクエリを試すオプションとエラーメッセージを共有するオプションが表示されます。
- PostHogインテグレーション: Aomniは、製品分析のためにPostHogインテグレーションを追加する過程にあります。

ChatGPTによる回答

生成した情報を微調整の設問に投入し、これでカスタムモデルの設定は完了です。

微調整の設問を保存した後、左メニューから「Run agent」を選択すると（画面図⑧）、いよいよカスタムモデルを動作させることができます。ここでは、商材を営業するためのターゲットとなる顧客情報を入力する必要があります。試しに、本書の出版元である技術評論社をターゲット顧客として設定してみましょう。会社名とその会社のウェブサイトのURLを入力すれば、設定完了です（画面図⑨）。

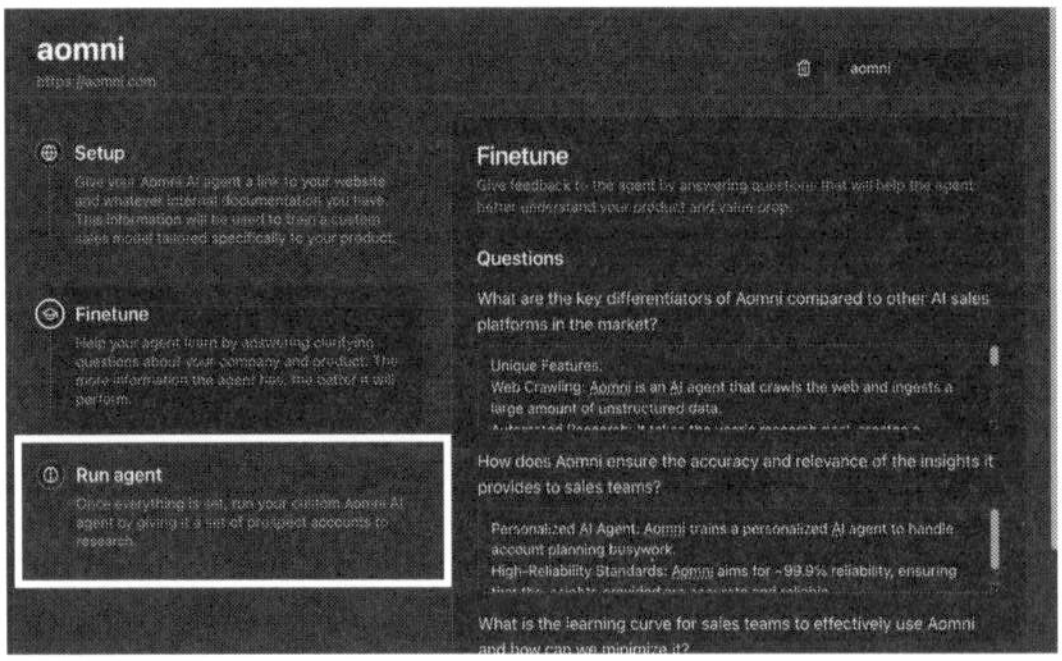

画面図⑧　「Run agent」の選択

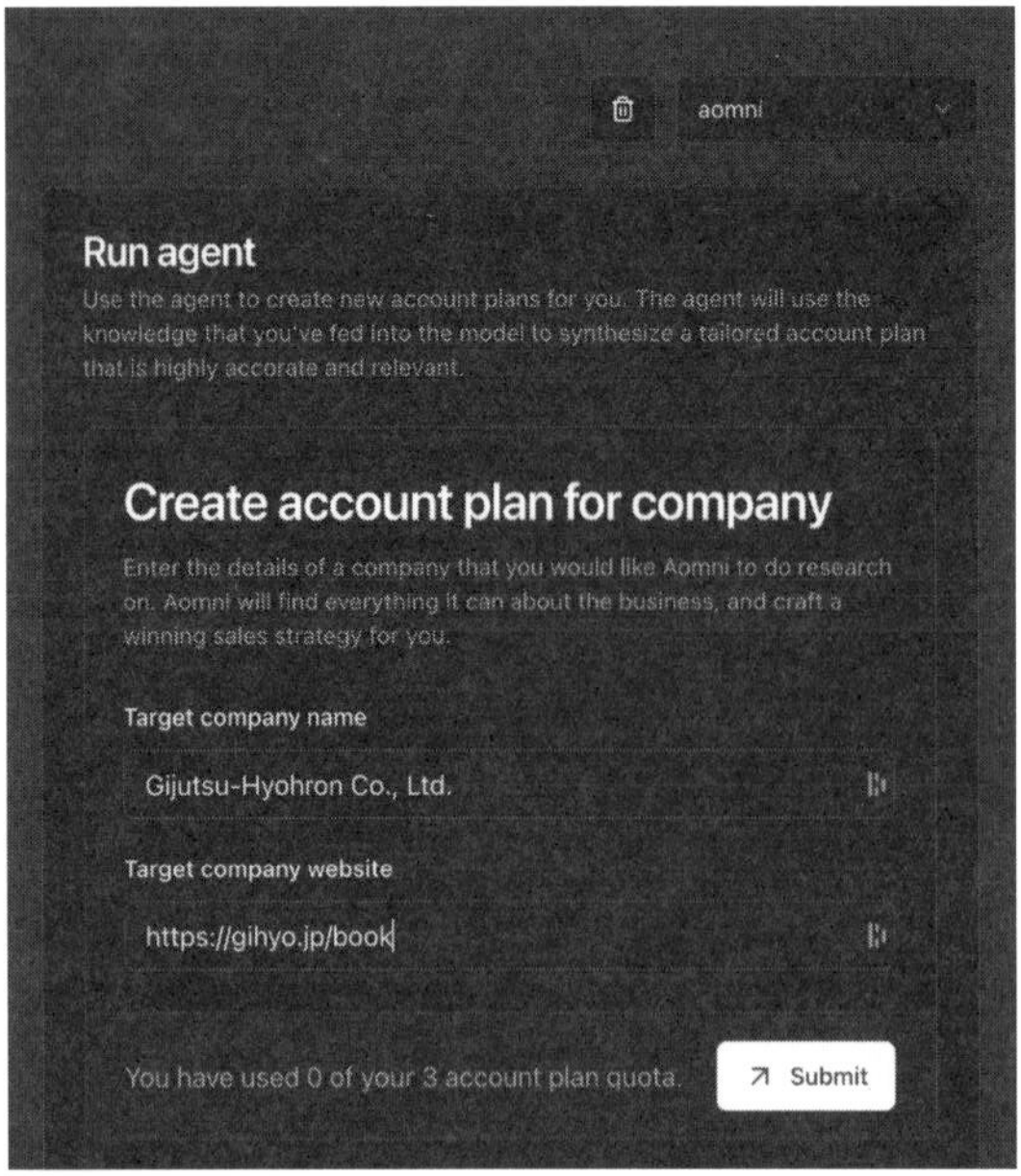

画面図⑨　顧客情報の入力

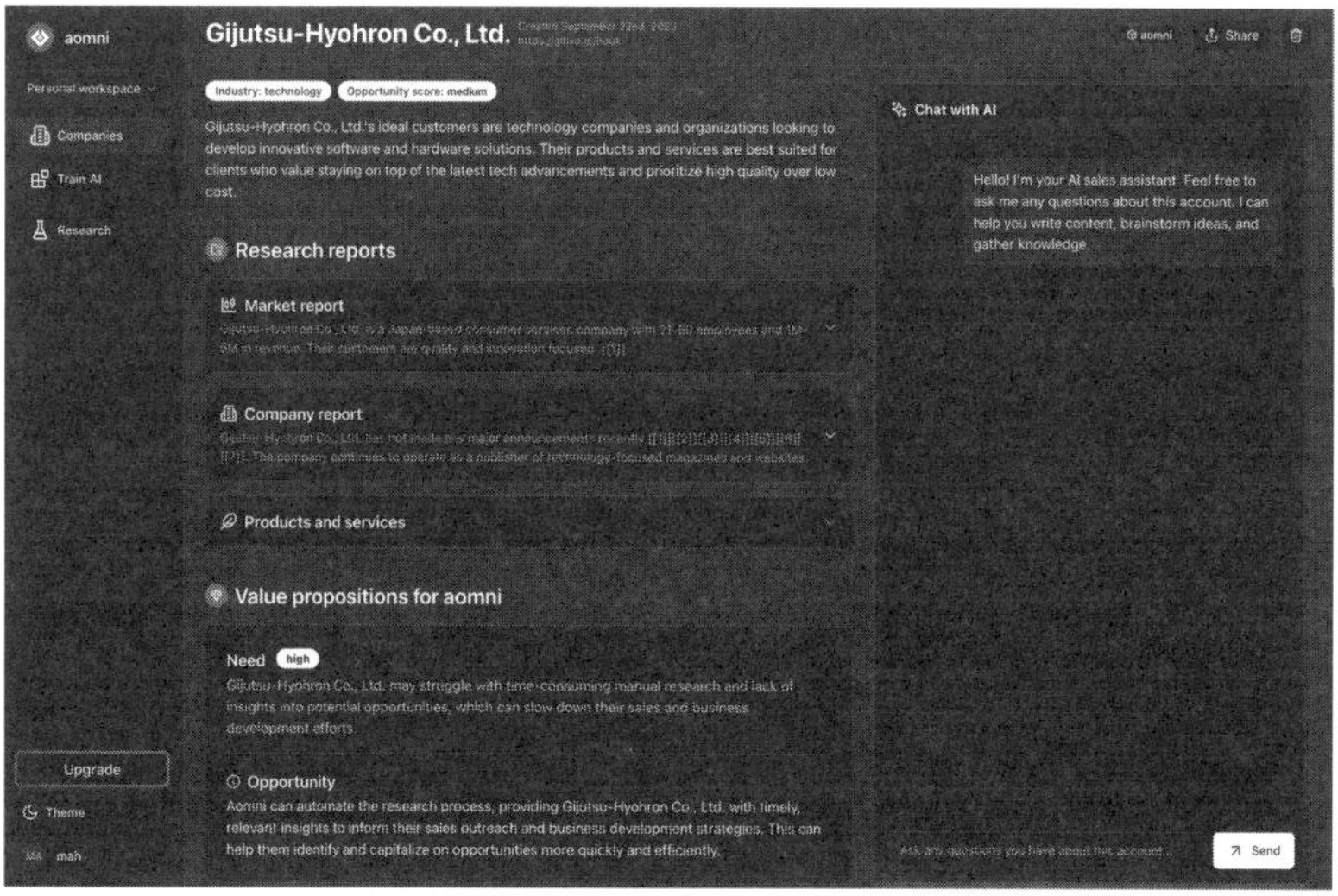

画面図⑩　営業プランのレポートが表示される様子

aomniによる営業プランの作成には20分ほどかかります。作成が完了すると、メールに完了の通知が届きます。

aomniによって生成される営業プラン

営業プランでは、大きく次の3点についてレポートが表示されます（画面図⑩）。

営業プランのレポートで表示される情報

- 調査レポート（Research reports）
- 価値提案（Value propositions for aomni）
- アウトリーチ戦略（Outreach strategies）

「調査レポート」では、ターゲット顧客に関する「市場レポート」「企業レポート」「製品・

ニーズ①
技術評論社は、手間のかかる手動での調査や、潜在的な機会に対する洞察が不足している可能性があり、それがセールスとビジネス開発の努力を遅らせるかもしれません。

ニーズ①への提案
aomniは調査プロセスを自動化し、技術評論社にタイムリーかつ関連性のある洞察を提供して、セールスのアウトリーチとビジネス開発戦略に有用な情報を提供できます。これにより、より迅速かつ効率的に機会を特定し、それを活用することができます。

ニーズ②
潜在的なパートナーシップの機会を特定し、評価することは、時間がかかる複雑なプロセスである可能性があります。

ニーズ②への提案
aomniは、潜在的なパートナーシップの機会を特定し、評価するプロセスを自動化することで、技術評論社の時間とリソースを節約することができます。

▲「価値提案」として表示された内容

サービス」の情報がまとめられて表示されます。顧客企業の従業員数、売上規模、主な顧客セグメントなどがリサーチ結果として出てくる形になっています。

「価値提案」では、具体的にどのようなニーズに対してどのような提案を行うと良いのかが示されます。今回のケースでは、上の価値提案が示されました。

また、「アウトリーチ戦略」では、具体的にどのような人物に営業を行うと良いのかが示されます。今回のケースでは、最も優先度の高い提案として、次ページの内容が示されていました。

さらに、具体的にどのようなメールを送れば良いのかについて、ドラフトの文面も作成してくれます。163ページに掲載したのは、aomniが英語で出力した5つのメール文例のうちの2つを、ChatGPTで日本語訳したものです。

技術評論社の経営幹部は、aomniの戦略的価値を高く評価する意思決定者である可能性が高い。

アプローチ：
営業チームの生産性を向上させ、リードのコンバージョンを迅速化することで、aomniがどのように収益成長を加速させることができるかを説明します。

「アウトリーチ戦略」として表示された内容

件名: AI活用で売上拡大を実現

[名前]様

先進技術企業として、競合に一歩先を行くためには、売上効率が鍵となります。aomniのAIプラットフォームを用いれば、貴社の売上をより効率的に拡大できると考えております。

具体的には、aomniは手動のリード調査を自動化し、営業チームがデータに基づいた戦略で効率よく働くことができます。

多くのお客様から、有望なリードが倍増し、成約率が15%向上したとの報告を受けています。ぜひ、aomniがどのように貴社の売上を拡大できるのかをご紹介させてください。

メールの文例①（ChatGPTで日本語訳）

件名: AIを駆使して販売を加速していますか？

[名前]様

先進のテクノロジー企業は、AIを活用して売上を増加させる方向に進んでいます。aomniを利用すれば、営業チームにAIアシスタントを配備して、リード調査やアウトリーチの最適化を自動化できます。

このようにすることで、営業担当者が手作業にかかる時間を削減し、リードのコンバージョン率を25-50%向上させることが可能です。

お時間が許せば、aomniのAIプラットフォームが貴社の売上と効率をどのように高めるかをご紹介させていただければと思います。

メールの文例②（ChatGPTで日本語訳）

今回は「アウトリーチ戦略」として、他にも次のような提案が示されました。

その他の「アウトリーチ戦略」の提案

- 技術評論社の営業責任者は、営業チームのパフォーマンスに責任を持っており、aomniの生産性向上の利点を高く評価するでしょう。
- 技術評論社のマーケティング責任者は、aomniが提供する顧客やアカウントに関する洞察に興味を持つ可能性が高いです。
- 技術評論社のビジネス開発チームは、パートナーシップの機会を特定し追求する責任を持っている可能性が高いです。
- 技術評論社の営業開発担当者（SDR）は、インバウンドリードの資格を確認する責任を持っており、そのプロセスはaomniを使用することでより効率的になるでしょう。
- 技術評論社のアカウントエグゼクティブは、取引を成立させる責任を持っており、aomniが提供するアカウントに関する洞察から利益を得るでしょう。

ここまでで提案された営業プランはいずれも日本の商習慣に合ったものではないため、そのまま日本での営業活動に適用するのには違和感があるかもしれません。しかし、商習慣に合ったものにチューニングさえすれば、ＡＩエージェントを営業活動に役立てることができそうだということも、同時に感じとっていただけたかと思います。

まとめ

- 自動リサーチを支援するAIエージェントとして、Cognosysがある。目的を設定してタスクを分解し、適切なAIエージェントを生成することで、システマティックに問題を解決するアプローチが特徴。
- Cognosysの利用方法として、ユーザーがエージェントを自ら設定する方法と、事前設定済みのエージェントを利用する方法の2通りがある。事前設定エージェントの例としては、AIニュースダイジェストなどがある。
- 営業支援に特化したAIエージェントとして、aomniがある。ウェブ上の情報を収集することで、顧客の課題を理解し、効果的な営業資料を作成できる。月間作成できる営業資料数でプランを設定する。
- aomniでは、カスタムモデルを設定し、ターゲット顧客を指定すると、営業プランが自動作成される。営業プランには顧客調査結果と提案が含まれる。
- プロダクトとしてのAIエージェントの提供は始まったばかり。今後は日本の商習慣に合ったプロダクトの提供も進んでいく可能性がある。

おわりに

本書を2023年中に刊行したかった理由

最後までお読みくださり、ありがとうございます。

本書の企画が通ったのが2023年8月、実際に執筆を開始したのが9月で、この「おわりに」を書いている現在は11月の校正真っ只中の時期です。いよいよ来月の12月には、書店やオンラインストアで本書をお買い求めできる状態になる予定です。

筆者にとって、本書が初めての商業出版になります。初めての書籍執筆にしては、急ピッチで執筆作業を進めたのには理由がありました。「年内、少なくとも年明けには『AIエージェント』という単語が一般向けのニュースでも出てくるようになり、さらにエージェントを扱うようなプロダクトも利用できるようになるだろう」という確信があったためです。

AIエージェントの情報は学術論文の世界では多数存在しますが、日本語で読める書籍としてその仕組みをまとめたものは、本書の企画時点では存在しませんでした。そのため、AIエージェントが世の中に出始めるタイミングで、専門知識がないビジネスパーソンも理解できるようなガイドをタイムリーに提供することには、大きな価値があるのではないかと考えました。それが本書の企画の出発点であり、何としてでも年内には出版に漕ぎ着けたい理由なのでした。

そのような考えから、2023年7月に技術評論社様との出版企画ミーティングで、編集者の皆様向けにAIエージェントの実演デモを行いました。見てもらったのは、大規模言語モデルを活用しながら、筆者が自分で即座に作成したものです。なぜならば、当時は様々な試作品のようなものはあるものの、まともなAIエージェントのプロダクトはまだ存在していなかったためです。そのような状況下で、AIエージェントに対する未来予測に対して「あり得るかも知れない」と思っていただけたことが、本書の誕生に繋がっています。

想定を越えるAIエージェントの進化スピード

このような未来予測で始まった執筆プロジェクトでしたが、正直なところ、本書の執筆中はあらゆる生成AIのニュースに対して戦々恐々としていました。もちろん執筆にあたっては陳腐化しない内容であることを心がけているつもりではありますが、根底から前提をひっくり返すような技術革新が起こらないとも限らないのが昨今の生成AI界隈の流れです。予想以上に早く、想定しない形でAIエージェントが世に出てこないとも限りません。

そんな中で10月16日には、ニューヨーク・タイムズで「How 'A.I. Agents' That Roam the Internet Could One Day Replace Workers」（日本語訳「インターネットを徘徊する〝AIエージェント〟が労働者に取って代わる日」）と、そのままズバリAIエージェントという単語の入ったタイトルの記事が公開されました。さらに10月28日には、東洋経済オンラインで「AI専門家たちが語る「ChatGPT」よりすごいもの」というタイトルで邦訳記事が公開されています。本書を執筆しながらも、「いよいよ来るな」という気配を感じさせる出来事でした。

DevDayでの衝撃的な発表

そして迎えたのが11月7日の、OpenAIによる開発者向けイベント「DevDay」です。大規模言語モデルを活用したアプリケーションの現役開発者としては、GPT-4で128kトークンもの大容量が安価に扱えるようになったことや、高度な画像認識を気軽に扱えるようになったことも衝撃でしたが、何よりも衝撃的だったのが、基調講演で創業者のサム・アルトマン氏の口からエージェントについて語られたことでした。DevDayで発表された驚くべき新機能の数々について、「これらは将来的にエージェントのような体験を実現するためのステップだ」と表現していたのです。ここで言うエージェントのような体験とは、単にAIがユーザーからの質問に答えるだけでなく、AIがアシスタントとしてユーザーのために様々なタスクをこなしてくれるような体験を指します。つまりOpenAIも、本書で取り上げたAIエージェントの体験を実現する方向にコミットしていくことを示唆したのです。

実際に、DevDayで発表されたChatGPTの一般ユーザー向けの機能である「GPTs」は、ユーザーの手によってエージェントを手軽に作り出すことができる機能です。X（旧Twitter）を見ている限りでは、公開から1週間で数千件ものGPTsがユーザーの手によって公開されており、ChatGPTの公開から約1年が経とうとしている今、新しいムーブメントが生まれているのを感じます。

AIエージェントを体験する意義

このような新しいムーブメントの中、私たちが今できることは何なのでしょうか。

OpenAIの創業者、サム・アルトマン氏がDevDayの基調講演で強調したように、これからの世界がどのように変化していくのかを理解するためには、まず実際にAIエージェントを使用し始めることが不可欠です。現段階の技術では不完全な部分も多く、すべてのタスクに対応しているわけではありません。しかし、その不足している部分が将来的にどのように補完され、何を可能とするのかを実際に体験することが、この技術の真価を理解する鍵となるのではないでしょうか。

このように流れの速い分野においては、やっと理解が整理されたと思った瞬間に、まったく新しい概念が出現し、これまでの枠組みを乗り超えてしまうことがあります。特に生成AIの世界は予想もつかない速さで変化を続けています。誰かが上手く説明したと思ったそばから、その情報が陳腐化していってしまうと思えるほどです。このように加速する変化の中で最も重要なのは、実際に自分自身で体験を重ね、自らの中で大局的な流れを感じ取ることだと筆者は考えています。

本書がそのような「体験」の一助となれば、これに勝る喜びはありません。

謝辞

末筆になりますが、執筆を支えてくれた多くの方々に感謝を申し上げます。特にＡＩＡＤ主宰のサガワフミヤさん、AICU Inc. ＣＥＯの白井暁彦さん、株式会社Algomaticの高橋椋一さん、くふうＡＩスタジオの舘野祐一さんには、貴重なフィードバックをいただきました（所属名のアルファベット順）。また、ＡＩコミュニティＡＩＡＤの皆様にも、有益な情報を多数ご提供いただきました。この場を借りて、お礼を申し上げます。一方で、もし本書中に不備や間違いがありましたら、それは筆者の責任です。

そしてＡＩエージェントに対する未来予測を信じて企画のゴーサインを出して下さった技術評論社の加藤さん、野口さん。そして企画を練り上げ、本書の実現に向けて尽力くださっている担当編集の藤本さん。皆様のご尽力なくして本書は生まれませんでした。深く感謝いたします。

そして何より、この本を手に取ってくださったあなたに心からの感謝を。

２０２３年11月　西見 公宏

参考資料一覧

本書の執筆にあたって参考にした資料を紹介します。論文については概要も付しました。英語なので少しハードルが高いかもしれませんが、踏み込んで学んでみたい方はぜひご一読ください。

●論文

・Jared Kaplan, Sam McCandlish, Tom Henighan, Tom B. Brown, Benjamin Chess, Rewon Child, Scott Gray, Alec Radford, Jeffrey Wu, Dario Amodei: "Scaling Laws for Neural Language Models", 2020; https://arxiv.org/abs/2001.08361

言語モデルの性能は、モデルサイズ、データセットサイズ、学習に使用される計算量に対して、べき乗則としてスケールすることを示した論文。

・Guohao Li, Hasan Abed Al Kader Hammoud, Hani Itani, Dmitrii Khizbullin, Bernard Ghanem: "CAMEL: Communicative Agents for "Mind" Exploration of Large Language Model Society", 2023; https://arxiv.org/abs/2303.17760

複数のAIエージェント同士が対話を通じて問題解決を行う、CAMELフレームワークを提示した論文。

・Franklin, Stan & Graesser, Arthur: "Is it an Agent, or Just a Program?: A Taxonomy for Autonomous Agents", 21-35, 1996; https://www.researchgate.net/publication/221457111_Is_it_an_Agent_or_Just_a_Program_A_Taxonomy_for_Autonomous_Agents

ソフトウェアエージェントを単なるプログラムと明確に区別する、自律エージェントの正式な定義を提案した論文。サブエージェントやマルチエージェントシステムといった考え方についても提示している。

・Tom B. Brown, Benjamin Mann, Nick Ryder, Melanie Subbiah, Jared Kaplan, Prafulla Dhariwal, Arvind Neelakantan, Pranav Shyam, Girish Sastry, Amanda Askell, Sandhini Agarwal, Ariel Herbert-Voss, Gretchen Krueger, Tom Henighan, Rewon Child, Aditya Ramesh, Daniel M. Ziegler, Jeffrey Wu, Clemens Winter, Christopher Hesse, Mark Chen, Eric Sigler, Mateusz Litwin, Scott Gray, Benjamin Chess, Jack Clark, Christopher Berner, Sam McCandlish, Alec Radford, Ilya Sutskever, Dario Amodei: "Language Models are Few-Shot Learners", 2020; https://arxiv.org/abs/2005.14165

OpenAIが開発した大規模言語モデルGPT-3についての論文。モデルを巨大化させることで、ファインチューニングなしのFew-Shot学習（回答を数例プロンプトで例示する手法）でも十分な性能を得られることを示した。

・OpenAI: "GPT-4 Technical Report", 2023; https://arxiv.org/abs/2303.08774

GPT-4の能力についてOpenAIの研究者が示した論文。後半はGPT-4 System Cardという題で、GPT-4における安全性に対する課題と、その課題に対処するために実施した施策について、全体の半分以上のページを割いて解説されている。

・Sébastien Bubeck, Varun Chandrasekaran, Ronen Eldan, Johannes Gehrke, Eric Horvitz, Ece Kamar, Peter Lee, Yin Tat Lee, Yuanzhi Li, Scott Lundberg, Harsha Nori, Hamid Palangi, Marco Tulio Ribeiro, Yi Zhang: "Sparks of Artificial General Intelligence: Early experiments with GPT-4", 2023; https://arxiv.org/abs/2303.12712

「GPT-4は汎用人工知能（AGI）への第一歩ではないか」という考え方について、マイクロソフトの研究者らが論拠を示した論文。

・Lei Wang, Chen Ma, Xueyang Feng, Zeyu Zhang, Hao Yang, Jingsen Zhang, Zhiyuan Chen, Jiakai Tang, Xu Chen, Yankai Lin, Wayne Xin Zhao, Zhewei Wei, Ji-Rong Wen: "A Survey on Large Language Model based Autonomous Agents", 2023; https://arxiv.org/abs/2308.11432

大規模言語モデルをベースとしたAIエージェントに関する、包括的なサーベイ論文。AIエージェントは「個性」「記憶」「計画」「行動」の4つの要素で構成されるという考え方を、フレームワークとして提示した。第3章ではこのフレームワークを、AIエージェント解説の基盤とした。

・Zhiheng Xi, Wenxiang Chen, Xin Guo, Wei He, Yiwen Ding, Boyang Hong, Ming Zhang, Junzhe Wang, Senjie Jin, Enyu Zhou, Rui Zheng, Xiaoran Fan, Xiao Wang, Limao Xiong, Yuhao Zhou, Weiran Wang, Changhao Jiang, Yicheng Zou, Xiangyang Liu, Zhangyue Yin, Shihan Dou, Rongxiang Weng, Wensen Cheng, Qi Zhang, Wenjuan Qin, Yongyan Zheng, Xipeng Qiu, Xuanjing Huang, Tao Gui: "The Rise and Potential of Large Language Model Based Agents: A Survey", 2023; https://arxiv.org/abs/2309.07864
大規模言語モデルをベースとしたAIエージェントに関する、包括的なサーベイ論文。エージェントについて、哲学的な起源からAIにおける発展まで辿り、大規模言語モデルエージェントの基盤として適している理由を説明している。
・Joon Sung Park, Joseph C. O'Brien, Carrie J. Cai, Meredith Ringel Morris, Percy Liang, Michael S. Bernstein: "Generative Agents: Interactive Simulacra of Human Behavior", 2023; https://arxiv.org/abs/2304.03442
第2章で紹介した、社会シミュレーション「Generative Agents」について解説した論文。別途参考資料として挙げているGitHubリポジトリからソースコードをクローンすることで、自身のコンピューター上で動作させることができる。論文と同じように25人のAIエージェントを動かそうとすると大量のプロンプトを実行することになるので、API利用料に注意されたい。
・Chen Qian, Xin Cong, Wei Liu, Cheng Yang, Weize Chen, Yusheng Su, Yufan Dang, Jiahao Li, Juyuan Xu, Dahai Li, Zhiyuan Liu, Maosong Sun: "Communicative Agents for Software Development", 2023; https://arxiv.org/abs/2307.07924
第2章で紹介した、複数AIエージェント同士の協働によるソフトウェア開発会社「ChatDev」について解説した論文。こちらも別途参考資料として挙げているGitHubリポジトリからソースコードをクローンすることで、自身のコンピューター上で動作させることができる。
・Sirui Hong, Mingchen Zhuge, Jonathan Chen, Xiawu Zheng, Yuheng Cheng, Ceyao Zhang, Jinlin Wang, Zili Wang, Steven Ka Shing Yau, Zijuan Lin, Liyang Zhou, Chenyu Ran, Lingfeng Xiao, Chenglin Wu, Jürgen Schmidhuber: "MetaGPT: Meta Programming for A Multi-Agent Collaborative Framework", 2023; https://arxiv.org/abs/2308.00352
ChatDevとは別のアプローチで、複数AIエージェントの協働によるソフトウェア開発モデルを示した論文。
・Aobo Kong, Shiwan Zhao, Hao Chen, Qicheng Li, Yong Qin, Ruiqi Sun, Xin Zhou: "Better Zero-Shot Reasoning with Role-Play Prompting", 2023; https://arxiv.org/abs/2308.07702
ロールプレイ（役割の設定）が大規模言語モデルの推論能力を増強させる可能性について、実証を踏まえて示した論文。
・Noah Shinn, Federico Cassano, Edward Berman, Ashwin Gopinath, Karthik Narasimhan, Shunyu Yao: "Reflexion: Language Agents with Verbal Reinforcement Learning", 2023; https://arxiv.org/abs/2303.11366
大規模言語モデルが振り返り（リフレクション）を通じて、より良い意思決定を行えることを示した論文。
・Yuqing Wang, Yun Zhao: "Metacognitive Prompting Improves Understanding in Large Language Models", 2023; http://arxiv.org/abs/2308.05342
人間の内省的な推論過程に着想を得た「メタ認知プロンプト」を紹介した論文。
・Jason Wei, Xuezhi Wang, Dale Schuurmans, Maarten Bosma, Brian Ichter, Fei Xia, Ed Chi, Quoc Le, Denny Zhou: "Chain-of-Thought Prompting Elicits Reasoning in Large Language Models", 2022; https://arxiv.org/abs/2201.11903
思考の連鎖（CoT）プロンプトによって大規模言語モデルの推論能力が向上することを示した論文。
・Miles Turpin, Julian Michael, Ethan Perez, Samuel R. Bowman: "Language Models Don't Always Say What They Think: Unfaithful Explanations in Chain-of-Thought Prompting", 2023; https://arxiv.org/abs/2305.04388
大規模言語モデルはいったん誤った答えにバイアスされると、誤った答えを正当化するために思考の連鎖（CoT）による説明を変更解釈してしまうことがあるということを示した論文。
・Shunyu Yao, Jeffrey Zhao, Dian Yu, Nan Du, Izhak Shafran, Karthik Narasimhan, Yuan Cao: "ReAct: Synergizing Reasoning and Acting in Language Models", 2022; https://arxiv.org/abs/2210.03629
「行動のための推論」と「推論のための行動」を組み合わせることによって意思決定タスクを解く、ReAct手法を提示した論文。

・Daniil A. Boiko, Robert MacKnight, Gabe Gomes: "Emergent autonomous scientific research capabilities of large language models" , 2023; https://arxiv.org/abs/2304.05332
大規模言語モデルをベースとしたAIエージェントが、化学実験を自律的に設計・計画・実行できるかを検証した論文。
・Wenlong Huang, Pieter Abbeel, Deepak Pathak, Igor Mordatch: "Language Models as Zero-Shot Planners: Extracting Actionable Knowledge for Embodied Agents" , 2022; https://arxiv.org/abs/2201.07207
十分に大きい大規模言語モデルであれば、適切なプロンプトを使用することで高レベルのタスクを中レベルのタスクへと効果的に分解できることを示した論文。
・Lei Wang, Wanyu Xu, Yihuai Lan, Zhiqiang Hu, Yunshi Lan, Roy Ka-Wei Lee, Ee-Peng Lim: "Plan-and-Solve Prompting: Improving Zero-Shot Chain-of-Thought Reasoning by Large Language Models" , 2023; https://arxiv.org/abs/2305.04091
全体のタスクをより小さなサブタスクに分割し、策定した計画に従ってそれぞれのサブタスクを順番に解決する、Plan-and-Solve手法を紹介した論文。
・Gautier Dagan, Frank Keller, Alex Lascarides: "Dynamic Planning with a LLM" , 2023; https://arxiv.org/abs/2308.06391
大規模言語モデルによるプランニングでは、複雑な計画になればなるほどコンテキストが大きくなり、コストがかかりすぎてしまう問題がある。その解決法として、LISPによく似たPDDL（Planning Domain Definition Language）のコードを生成して実行させるアプローチが、ReAct手法よりも検証環境において性能を発揮したことを示した論文。
・Ori Ram, Yoav Levine, Itay Dalmedigos, Dor Muhlgay, Amnon Shashua, Kevin Leyton-Brown, Yoav Shoham: "In-Context Retrieval-Augmented Language Models" , 2023; https://arxiv.org/abs/2302.00083
第3章の「記憶」に関する説明で、データベースを検索した結果を元に（外部情報を元に）文章を生成する例を紹介したが、本論文の考え方を基礎にしている。このような手法はRAG（Retrieval-Augmented Generation）と呼ばれており、大規模言語モデルを活用したアプリケーションにおいて一般的に使用されている。

●書籍

・本位田真一,飯島正,大須賀昭彦.『エージェント技術―オブジェクト指向トラック（ソフトウェアテクノロジーシリーズ 3）』.共立出版.1999
・長尾確.『エージェントテクノロジー最前線』.共立出版.2000
・斎藤康毅.『ゼロから作るDeep Learning ―Pythonで学ぶディープラーニングの理論と実装』.オライリージャパン.2016
・斎藤康毅.『ゼロから作るDeep Learning 2 ―自然言語処理編』.オライリージャパン.2018
・Ian Goodfellow, Yoshua Bengio, Aaron Courville.『深層学習』.KADOKAWA.2018
・Michael Wooldridge.『AI技術史 考える機械への道とディープラーニング（TopGear）』.インプレス.2022
・坂本俊之.『作ってわかる! 自然言語処理AI～BERT・GPT2・NLPプログラミング入門』.シーアンドアール研究所.2022
・岡野原大輔.『大規模言語モデルは新たな知能か――ChatGPTが変えた世界（岩波科学ライブラリー）』.岩波書店.2023
・スティーヴン・ウルフラム.『ChatGPTの頭の中（ハヤカワ新書 009）』.早川書房.2023
・山田育矢（監修）,鈴木正敏（著）,山田康輔（著）,李凌寒（著）.『大規模言語モデル入門』.技術評論社.2023

●ウェブサイト

・「Autonomous AI and Autonomous Agents Market Statistics」（MarketsandMarkets）
https://www.marketsandmarkets.com/Market-Reports/autonomous-ai-and-autonomous-agents-market-208190735.html
・「ChatGPTで広告会社の組織激変、サイバーでは30人以上いたディレクターがゼロに」（日経クロステック／日経コンピュータ）
https://xtech.nikkei.com/atcl/nxt/column/18/02466/052600002/

- 「CAMEL Role-Playing Autonomous Cooperative Agents」(LangChain)
  https://github.com/langchain-ai/langchain/blob/master/cookbook/camel_role_playing.ipynb
- 「Task-driven Autonomous Agent Utilizing GPT-4, Pinecone, and LangChain for Diverse Applications」(Yohei Nakajima)
  https://yoheinakajima.com/task-driven-autonomous-agent-utilizing-gpt-4-pinecone-and-langchain-for-diverse-applications/
- 「「シンギュラリティ(Singularity)」は2045年に訪れる? AIが人類の知能を超えるときが来るのか」(Qbook)
  https://www.qbook.jp/column/1648.html
- 「ビッグファイブとは? 5つの性格特性と心理テストを紹介」(アチーブメントHRソリューションズ)
  https://achievement-hrs.co.jp/ritori/big-5/
- 「LLM Powered Autonomous Agents」(Lilian Weng)
  https://lilianweng.github.io/posts/2023-06-23-agent/
- 「Why is Vector Search so fast?」(Weaviate)
  https://weaviate.io/blog/why-is-vector-search-so-fast
- 「Agent Protocol」
  https://agentprotocol.ai/
- 「About deployment, evaluation, and testing of agents with Sully Omar, the CEO of Cognosys AI」(E2B)
  https://e2b.dev/blog/about-deployment-evaluation-and-testing-of-agents-with-sully-omar-the-ceo-of-cognosys-ai
- 「David Zhang from Aomni gives his view agents' reliability, debugging and orchestration」(E2B)
  https://e2b.dev/blog/david-zhang-from-aomni-gives-his-view-on-ai-agents
- 「How 'A.I. Agents' That Roam the Internet Could One Day Replace Workers」(The New York Times)
  https://www.nytimes.com/2023/10/16/technology/ai-agents-workers-replace.html?smid=url-share
- 「AI専門家たちが語る「ChatGPT」よりすごいもの　次に来る「AIエージェント」とはいったい何か」(東洋経済ONLINE)
  https://toyokeizai.net/articles/-/711212
- 「Introducing GPTs」(OpenAI)
  https://openai.com/blog/introducing-gpts
- 「New models and developer products announced at DevDay」(OpenAI)
  https://openai.com/blog/new-models-and-developer-products-announced-at-devday

●GitHub

- 「GPT Researcher」
  https://github.com/assafelovic/gpt-researcher
- 「AutoGPT」
  https://github.com/Significant-Gravitas/AutoGPT
- 「BabyAGI」
  https://github.com/yoheinakajima/babyagi
- 「BabyFoxAGI」
  https://github.com/yoheinakajima/babyagi/blob/main/classic/babyfoxagi/README.md
- 「Generative Agents: Interactive Simulacra of Human Behavior」
  https://github.com/joonspk-research/generative_agents
- 「Communicative Agents for Software Development」
  https://github.com/OpenBMB/ChatDev
- 「LangChain」
  https://github.com/langchain-ai/langchain
- 「WizMap」
  https://github.com/poloclub/wizmap

著者プロフィール

西見公宏（にしみまさひろ）

1983年生まれ。Web制作フリーランスを経て、大学卒業後TIS株式会社に入社。大手企業の業務基幹システム開発や、海外でのソリューション開発を経験した後、2011年に株式会社ソニックガーデンへ入社。クライアント先への顧問CTOとしてRuby on Railsを活用したWebアプリケーション開発に企画から運用まで携わる一方で、年間100件以上の新規相談に対応しながらプロジェクトの立ち上げを支援。2015年に同社取締役就任。2022年からは有限会社エッジドエッジ代表として、ChatGPTの利活用を中心に大規模言語モデルを活用したアプリケーション開発ならびにアドバイザリーを提供している。

X（旧Twitter）：@mah_lab

note：https://note.com/mahlab/

●装丁
山之口正和（OKIKATA）
●本文デザイン・DTP
SeaGrape
●協力（※五十音順）
AIコミュニティAIADのみなさま
サガワフミヤさま
白井暁彦さま
高橋椋一さま
舘野祐一さま

その仕事《しごと》、AI《エーアイ》エージェントがやっておきました。

ChatGPT《チャットジーピーティー》の次《つぎ》に来《く》る自律型AI革命《じりつがたエーアイかくめい》

2023年12月29日　初版　第1刷発行

著者　西見《にしみ》 公宏《まさひろ》
発行者　片岡 巌
発行所　株式会社技術評論社
東京都新宿区市谷左内町21-13
電話　03-3513-6150　販売促進部
03-3513-6166　書籍編集部
印刷／製本　日経印刷株式会社

定価はカバーに表示してあります。

造本には細心の注意を払っておりますが、万一、乱丁（ページの乱れ）や落丁（ページの抜け）がございましたら、小社販売促進部までお送りください。送料小社負担にてお取り替えいたします。

ISBN978-4-297-13901-8 C0034
Printed in Japan

■お問い合わせに関しまして

- 本書に関するご質問については、本書に記載されている内容に限定させていただきます。本書の内容を超えるものや、本書の内容と関係のないご質問につきましては、一切お答えできませんので、あらかじめご了承ください。
- 電話でのご質問は受け付けておりませんので、Webの質問フォームにてお送りください。FAXまたは書面でも受け付けております。
- 質問の際に記載いただいた個人情報は、質問の返答以外の目的には使用いたしません。また、質問の返答後は速やかに削除させていただきます。

●質問フォームのURL
https://gihyo.jp/book/2023/978-4-297-13901-8
※本書内容の訂正・補足についても上記URLにて行います。
あわせてご活用ください。

●FAXまたは書面の宛先
〒162-0846　東京都新宿区市谷左内町21-13
株式会社技術評論社　書籍編集部
「その仕事、AIエージェントがやっておきました。」係
FAX：03-3513-6183